D1057661

11/21

Illustration
plat recto :

**Roch Ouellette**

*Graphite*

21,5 x 26 cm
1986

# UN
# CLOWN
# EN
# HIVER

## DU MÊME AUTEUR

*L'attrape-mouche*. *Récit,* collection *Parole vivante,* n° 5,
Les Éditions du Vermillon, Ottawa, 1985, 128 pages.

Collection « Romans », n° 1

JEAN-LOUIS
GROSMAIRE

# UN CLOWN
# EN HIVER

ROMAN

JM Les Éditions du Vermillon

**DIFFUSION**

*Pour tous les pays*

**Les Éditions du Vermillon**
305, rue Saint-Patrick, Ottawa (Ontario)
Canada K1N 5K4
Tél. : (613) 230-4032

*Distributeur au Québec*

**Québec Livres**
4435, boulevard des Grandes Prairies
Saint-Léonard, Montréal (Québec)
Canada H1R 3N4
Tél. : (514) 327-6900

*Mandataire en Europe*

**Les Éditions du Vermillon**
8, rue du Marché
CH 1227 Carouge, Suisse
Tél. : (22) 43-45-12 et (22) 96-25-18

ISBN 0-919925-30-8
COPYRIGHT © Les Éditions du Vermillon, 1988
Dépôt légal : 1er trimestre 1988
Bibliothèque nationale du Canada

Collection
**Romans**

**Roch Ouellette**    *Graphite*
21,5 x 26 cm    1986

*Le vent apporte aux conteurs*
*des histoires*
*qu'ils font semblant d'avoir inventées.*
*Il est la parole des souvenirs.*
*Les livres*
*ne sont que la petite mémoire*
*du vent.*

Première partie

# D'OMBRES ET DE PEUR

# Premier chapitre

## SCOTT ET MOI

### JANVIER

U N homme était assis et regardait le fleuve. Des blocs de glace se fracassaient les uns contre les autres, puis dérivaient en tournoyant dans les eaux vives. En arrière, la ville, en avant, le fleuve, loin, plus loin, une plaine parfaitement plate, d'où surgissaient des monts enneigés. L'homme fit quelques pas. Le visage triste, il retourna vers l'hélicoptère. Les hélices soulevèrent la neige, la faisant voler comme du sable. L'appareil prit de l'altitude, s'inclina et vira plein cap sur Montréal.

De notre module résidentiel, je peux observer les allées et venues des promeneurs sur les bords du fleuve. Les jumelles à la main, je m'attarde fréquemment devant la baie vitrée. Le fleuve attire toujours mon attention. Aujourd'hui fougueux, demain placide, ondoyant ou soudainement titanesque, libérant son énergie trop longtemps retenue. Les radeaux de glace sautent parmi les vagues, s'empilent dans un désordre inextricable et, lors des grands froids, de nouveau se soudent en une banquise chaotique. Je ne suis pas le seul à apprécier le

spectacle. Quelques Montréalais viennent, quotidienne-
ment, contempler cette force de la nature. Aujourd'hui,
du haut de mon salon, j'aperçois un couple amoureu-
sement serré, un militaire, un membre des patrouilles
de surveillance, et lui, le même homme que tout à
l'heure, c'est bien lui!

Vite, l'examiner! Je me sens aimanté. Le visage...
il n'a pas l'air vieux, dans la cinquantaine tout au plus.
Sa peau donne pourtant l'impression d'avoir été gonflée
sous les yeux, aux joues, tirée vers les oreilles, mais ce
doit être l'effet du froid ou de mes jumelles mal ajustées.
Sa démarche a quelque chose de nostalgique. Quel
visage! C'est le mien, le mien! Non, je ne suis pas fou.

Je me rue vers l'ascenseur. Il est occupé. Il traîne
entre les étages. On a beau être en 2033, ces machines
se moquent de vous. J'attends, devant une porte vitrée,
une colonne vide où pendent des câbles qui, stupidement, se balancent. Le contrepoids passe, lentement.
Enfin! L'ascenseur est là. Je bondis. La fenêtre du
fond, l'homme, où est-il? La descente est lente et cette
musique d'ambiance est ridicule. Les portes de l'immeuble s'ouvrent, doucement, je piétine sur le tapis de
caoutchouc. Je suis dehors. Subitement, je ralentis.
Qu'est-ce que j'ai à courir après cet individu? Je n'ai
rien à lui dire. Où cela va-t-il me mener?

Il fait froid, moins vingt degrés à ma montre. Il
est quinze heures, trente minutes et vingt secondes. Nos
appareils sont d'une précision idiote. J'ai le cœur qui
flanche. Il vaut mieux remonter. Je relève le col de ma
combinaison. Le vent est mordant. L'homme est là.
Je m'avance. J'ai besoin de quoi? Qu'est-ce qui m'arrive?
Il est encore temps de retourner; là-haut, la fenêtre du
salon brille.

Mes tempes bourdonnent, mes jambes vacillent, le
sang quitte mes membres, reflue vers le cœur, j'étouffe.

Je me regarde, moi, à cinquante ans... Ses yeux, les miens, avec la même nostalgie et la pointe un peu dure qui m'a toujours intrigué. Le sourire à peine esquissé, les joues un peu osseuses, le menton presque enfant, c'est moi!

Il dégage la neige d'un billot, s'assied et regarde pensivement le fleuve.

— Si j'étais Inuit, dit-il, je sauterais sur un bloc de glace, je me laisserais dériver dans le courant. Jadis, lorsque la fin était venue, ils s'en allaient ainsi. Mon heure n'est peut-être pas encore arrivée...

Un rayon de soleil perce les nuages. Ciel bleu entre les masses sombres, la lumière jongle sur la glace en faisant jaillir des ondes irisées.

— Comment t'appelles-tu? me demande-t-il.

Mauvais point pour lui, je le trouve indiscret. Je sais qu'il peut, par cette fenêtre, aller très loin. J'ai peur qu'il vienne fouiller au fond de moi. Après tout, pourquoi ne pas lui répondre?

— Guillaume.

— Tu as donc vingt-six ans.

— On ne peut rien vous cacher.

— On a généralisé l'utilisation des patronymes en 2005, on l'a abandonnée, puis reprise.

Je n'aime pas la pédanterie. Je me tais.

— Pour les filles, le gouvernement s'en est toujours tenu à la coutume *du nom selon l'inspiration,* il ne faut pas chercher à y comprendre quelque chose. Vingt-six ans! Il y a vingt-six ans, je venais déjà me promener ici. Le fleuve n'a pas beaucoup changé. Il est toujours aussi impétueux. La ville, elle, est très différente. Quand j'étais jeune, on parlait souvent du futur. « Vous verrez, disait-on, tout sera automatique, on ne travaillera presque plus, une civilisation de loisirs, dans un monde de science-fiction. » Des inepties, j'en ai été abreuvé!

Les choses ne se sont pas modifiées du jour au lendemain. Comme maintenant, nous prenions de nouvelles habitudes sans nous en apercevoir. On parlait bien de révolution de l'informatique, du travail, de l'ère des loisirs, mais personne n'aurait pu mettre de dates précises à ces changements. Les nouveautés les plus incroyables, on les intégrait à notre vie presque instantanément, télévision en relief, cœur, reins, membres, yeux artificiels, tissus humains régénérés, transports par gravitation, tunnels transocéaniques, colonies spatiales ; toujours le même scénario, des recherches longues, coûteuses, surtout contre les cancers, et enfin la découverte !!! L'étonnement, l'admiration, la foi dans l'homme, la confiance dans le destin de l'humanité, s'effaçaient devant l'habitude, le quotidien ; d'autres frontières, d'autres questions. Au moment d'entrer dans le nouveau millénaire, les gens s'inventèrent des malédictions, des horreurs dignes des plus mauvais films d'épouvante. La même irrationalité triomphe de nos jours, délire morbide collectif qui ne m'atteint pas. J'ai déjà eu ma part, Guillaume.

— C'est-à-dire ?

— John Scott, cela ne t'évoque rien ?

— Vaguement.

— Te souviens-tu de cet effroyable accident dans une centrale nucléaire de la région de New York, il y a sept ans ? On a dû me refaire le visage, prenant ma peau ici ou là, pour la greffer sur mes joues, mon nez, mon front. Les os aussi, il a fallu en reformer. On les enlevait d'où on pouvait, pour les installer sur les mâchoires. Des tumeurs apparaissaient n'importe où et on recommençait les traitements. Je t'épargne les détails. Je ne veux inspirer ni la pitié ni l'admiration, parce que du courage je n'en avais guère, le goût de vivre, oui !!! Je l'avais, je l'ai encore, plus que jamais !

Je vis chaque seconde intensément ! Quand on a perdu des êtres chers, des amis, des camarades de travail, quand on a perdu jusqu'à son propre visage, quand on doit se faire soigner toutes les semaines, parfois chaque jour, alors on se bat pour la VIE et on l'apprécie pleinement. Voilà pourquoi j'aime le fleuve, ses vagues, ses blocs, la nature libre, rebelle. Je suis ces eaux vives. On m'a opéré, plusieurs fois ; la chirurgie plastique aidant, tu peux voir où en est le bonhomme. Ce n'est pas si mal, n'est-ce pas ? Mon nom ne te dit toujours rien ?... J'étais présentateur à la télévision lorsque tu étais adolescent. Mon nom apparaissait sous mon visage d'un bout à l'autre du pays. J'ai animé diverses émissions, de 2020 à 2022. Ça y est, maintenant ? Tu me situes ? Non ? Eh bien ! Notre système est plus décapant que je ne le pensais. Deux ans de présence, presque chaque soir et il ne reste rien... Même si, pendant quarante-sept ans, la vie n'a pas été toujours bonne, moi, je suis fou d'elle !

Plus tu parlais, plus ton visage me fascinait. Certes, la chirurgie plastique avait dû modifier le faciès original, mais quel résultat ! Je me voyais raconter une histoire. Je déroulais un passé devant un autre, qui était aussi moi. Mon esprit vacillait. Non, non, Guillaume, j'étais Guillaume, vingt-six ans, habitant le module là-haut, au vingtième étage, la grande baie vitrée, la lumière, le salon, la musique, le refuge. Toi, tu es John Scott, ancien journaliste disparu des ondes, rescapé de New York, il y a bien longtemps. Rien à partager avec toi. Il faut que je parte, que je retrouve ma petite vie. Il est encore temps que je me défile, mais... ma parole est plus audacieuse que mes pensées, je suis étonné de m'entendre t'inviter à prendre un verre dans le module.

Je déteste les conversations dans les ascenseurs. Il n'y a pas la distance si utile au dialogue. Les dents, les poils de l'autre, vous surgissent sous les yeux. J'ai toujours envie de me reculer. Se parler de face, on a l'air de deux amants, de profil, de deux étrangers. Aujourd'hui, plus que jamais, je me sens mal à l'aise.

Montée dans le silence, secondes de proximité, de reconnaissance, de découverte, longs instants où, suspendus dans l'air, nous n'avons ni passé, ni futur, uniquement nos regards qui transpercent l'espace et se soudent dans un miroir intensément vivant.

Silence encore. Ta main sur mes joues, mon front, dessinant doucement les contours, tes doigts tremblent sur ma peau. Deux êtres, deux générations se réunissent, des années se mêlent ; j'ai cru, à cet instant, à l'amitié, à l'éternité. Tes phrases, une à une, nous liaient.

— Je pourrais être ton père, Guillaume... Cela correspond exactement à mes contributions génétiques, il y a vingt-six ans. Si c'était vrai... Nous sommes peut-être frères, jumeaux décalés. J'ai quelques vidéos de mes anciens reportages, tu me reconnaîtras, ou plutôt tu te reconnaîtras aisément. Les chirurgiens se sont servis de ces films pour faire un moulage proche de l'original. Grâce à leurs ordinateurs, après des centaines d'heures éprouvantes, pour eux comme pour moi, ils ont réussi à modeler ma chair. Voilà pourquoi il faut toujours se faire filmer sous tous les angles par un visagiste ; ce sont les archives les plus précieuses, si l'on ne veut pas perdre la face ! Je te montrerai un jour mes bouts de films, c'est bien moi, c'est-à-dire toi aussi...

J'avais une multitude de questions à te poser, mais les mots s'enfuyaient, tels ces beaux discours que l'on fait le soir en s'endormant et que l'on souhaite reprendre le lendemain. La nuit les a avalés, nous ne pouvons plus rien dire. Alors, les silences se chargent d'apporter les réponses, souffle d'intimité plus éloquent que celui des mots.

— Es-tu comme les autres, Guillaume?

— Oui, j'ai peur. Les guerres ne m'inquiètent pas, elles sont notre pourriture, je m'y suis habitué. D'autres meurent, de moins en moins loin, certes, mais d'autres. La mort des « périphériques », des affamés, me choque, mais je n'y peux rien. C'est dégueulasse, je le sais. J'ai peur de mourir, de souffrir, d'avoir des maladies incurables, de hurler sur un lit d'hôpital. Je tiens à la vie, à ceux qui sont autour de moi et que j'aime.

Le fleuve charrie inlassablement ses blocs de glace. Parfois, un embâcle se forme, il heurte les piliers du pont rouillé, puis bascule en fracas dans les eaux noires. Tu regardes les vieilles poutres métalliques et l'autoroute inutile qui enjambe le fleuve en guirlande anachronique. Face au module, un parc boisé, une croix immense au-dessus du mont Royal et, à côté, l'héliport. Des gens y font halte pour admirer la ville qui brille dans la nuit.

— Comment était-ce avant, Scott?

— Pas tellement différent de maintenant. Si, on se parlait! Il n'y avait pas l'espionnite qui empoisonne nos relations actuelles. Cela ne veut pas dire qu'on s'aimait plus qu'aujourd'hui, loin de là. On n'était pas plus heureux, il y a vingt ans, que maintenant. J'ai vécu dans un univers de violence. Sur les écrans, il fallait du sang, du sang dans les journaux, du sang partout. Les gens disaient : « C'est écoeurant! », mais l'horreur, le mauvais goût, l'absence de poésie, de dignité, attiraient le public. L'« élite » donnait le ton en mettant la population au diapason de la bassesse. Nos mégalopolis étaient des jungles infernales. Je ne sais pourquoi nous songeons au passé avec nostalgie. On a prétendu que c'était la « Grande époque », ce qu'il y avait de mieux depuis le début des temps; c'est faux, archifaux! J'avais quatorze ans, en l'an 2000, je m'en souviens très bien.

Mes parents vivaient à Montréal, dans une vieille maison, tout en long. Deux familles en bas avec leurs mômes, leurs musiques, leurs vélos sur le balcon et, le matin, leurs odeurs d'œufs frits, de pain grillé et de café. Je regrette notre maison, ses bruits, ses murs de brique grignotés par le temps. J'ai du mal à t'expliquer, Guillaume. Tu habites un module résidentiel comme le mien, sans originalité, venu tout droit des usines robotisées.

— J'ai quand même pu choisir les teintes des murs, les outils ménagers, l'ameublement. L'administration nous a attribué cet espace superbe sur les bords du Saint-Laurent.

Tu continuas ton discours, indifférent à ma remarque, pressé de laisser sortir quelque chose. Ton esprit puisait, dans des propos neutres, l'énergie qui nous mènerait à ta zone d'ombres.

— Montréal a toujours été une ville unique, une cité d'Europe et d'Amérique. Les ruelles racontent les jeux des bambins du monde entier. Leur rire se mêle aux questions des grands qui, de siècle en siècle, se demandent comment l'on peut vivre en si bonne entente dans une métropole aussi indéfinissable ; mosaïque de minorités, dans une majorité minoritaire, éternel imbroglio de cette partie du continent. J'aime parler de ma ville, de mes gens. Le passé, je le découvre à mesure que je vieillis, je vais plus loin dans le temps. Notre cité a su garder le charme vieillot du vingtième siècle, en préservant les vieux édifices comme la Place des Arts, ou la Place Ville-Marie, avec leurs couloirs précurseurs de nos quartiers antinucléaires. Guillaume, ce que j'apprécie le plus, ce sont les arbres. Ils sont partout, soulignant, à chaque printemps, la victoire sur le froid et les longues nuits. Regarde, sur la droite cette belle rangée de peupliers givrés qui bordent l'ancien canal.

Je m'approche de la fenêtre. Sur la rive gauche, presque à nos pieds, l'ancien port en restauration, on distingue les ruines de silos que l'on s'efforce de remonter en respectant le style original. Quelques dirigeables animent encore les anciens espaces de manutention. Plus au nord, donnant sur un groupe de modules neufs, l'imposant complexe de détente surgit sous sa gigantesque voûte transparente. Je devine la masse de verdure tropicale, les plans d'eau, les stades, les installations sportives.

— On m'avait expliqué que l'an 2000 serait le temps du bonheur ou celui d'épouvantables désastres. Rien ne s'est réalisé selon les prédictions. Ici, en fin de millénaire, ce fut l'année folle. On souhaitait qu'il arrivât quelque chose, bien ou mal, mais qu'un phénomène étonnant se produisît. Tous les jours, les Montréalais fêtaient, buvaient, dans la rue, dès le travail terminé. Les dernières semaines de décembre furent des périodes d'exubérance. On dansait sur le boulevard Saint-Laurent, le boulevard de l'Amérique, le carrefour du monde. Ces grandes retrouvailles nous délivraient des années de crises économiques, de chômage et de restructuration sans fin. La ville se fit une nouvelle peau. Des mégacoptères vrombissaient dans le ciel. Chaque matin, des centaines de modules circulaient au-dessus de la ville. Les vieux quartiers furent préservés. Ce que nous nommons Drapeauville, actuellement, a échappé aux destructions, mais la banlieue, où nous habitions, fut complètement rasée, il en fut de même des relations que nous avions dans notre quartier. Voilà pourquoi, lorsque les citadins se rencontraient « sur la Main », entre deux bières, comme dans le temps, ils étaient radieux. Ils s'étonnaient d'avoir si longtemps cohabité dans des appartements aussi exigus et d'y avoir été, néanmoins, si heureux ! Des maisons toutes pareilles, des façades ornées d'escaliers branlants, qui dessinaient des courbes de métal sur le bord des rues étroites. Des voitures, que l'on ne sait où garer lorsque l'on rentre du travail, des carrefours où l'on se fait subitement éclabousser, toute la poésie de notre sloche-town... Plus de dépanneur du coin avec ses publicités de cigarettes et de boissons gazeuses, plus de gamins poussant une rondelle à l'aide d'un vieux bâton de hockey recouvert de ruban noir, plus de poubelles ni de chats en maraude dans la ruelle, plus de linge sur les cordes, tout s'en allait au vent du futur.

« J'avais quatorze ans, Guillaume. Je n'attachais pas d'importance au passé, je filais vers demain, comme l'eau du fleuve, je ne me préoccupais pas de la source. J'accourais pour voir notre maison se faire pulvériser par la décharge d'explosifs ! Mon enfance, d'un coup, sautait. Je trouvais le spectacle prodigieux. Je devenais adulte. J'avais hâte d'habiter un module comme celui-ci, avec son four incorporé, ses lumières encastrées, ses télécommandes, ses salles polyvalentes. Je ne pensais pas, qu'un jour, je regretterais notre réfrigérateur vétuste et sa porte opaque, la cuisinière à quatre ronds et son ventilateur graisseux, les fenêtres à manivelles et les meubles en bois plastifié. J'avais quatorze ans, on entrait enfin dans le deuxième millénaire. J'étais joyeux. Je ne savais pas ce qui m'attendait.

D'un geste de la main, tu fis semblant de chasser tes idées. Tu marchas lentement le long de la baie vitrée. D'un coup, tu te tournas vers moi. »

— À quoi ça rime de déballer sa vie à un inconnu ?

Je me suis levé. J'ai pris une bouteille de whisky. Nous sommes allés dans le salon.

— Mes parents étaient pressés de déménager. Ils n'avaient pas pensé que leurs habitudes allaient changer. Plus de voisins ni de parlotte sur le balcon, plus de

neige à pelleter, enfin, plus de sacs toujours trop pleins,
trop lourds, trop humides, ayant, les maudits, la fâcheuse
tendance à lâcher du fond, en pleine ascension de nos
marches glissantes. Tout devenait rationnel, automatique,
indifférent. Mon père se découvrit une passion. Il se
mit à sculpter des bonshommes en pin. Il faisait toujours le même pêcheur gaspésien, vêtu d'une casquette,
d'une veste, d'un pantalon à bretelles, un pantalon trop
large, qui plissait sur ses bottes noires. Parfois, il lui
plaçait une pipe dans la bouche. L'enfance de mon
père lui était rendue dans l'odeur du pin, dans le manie-
ment des outils. Ses gros doigts calleux ont donné vie à
une multitude de petites créatures. Il les offrait à des
voisins ou aux enfants qu'il rencontrait. Ma mère, plus
jeune que lui, travaillait dans une usine de produits
chimiques. Lorsqu'elle rentrait, elle ramenait avec elle
l'odeur infecte des insecticides. Je n'ai jamais pu m'y
habituer. Ces saloperies lui avaient détruit l'odorat. Je
la voyais, mais ne remarquais pas combien, rapidement,
se détériorait sa santé. J'étais préoccupé par moi, rien
que par moi. Je l'aimais comme on aime ses parents,
sans le leur dire. Il y a des silences qui sont des douleurs
pour ceux que l'on aime. J'étudiais à la maison à l'aide
d'un mini-micro-ordinateur. C'était la grande révolution
scolaire. Enfin, pensait-on, chacun à son rythme et à
son gré. Mes parents n'avaient pas les moyens de me
payer l'école privée traditionnelle. Plus tard, je me suis
retrouvé à New York ! Je m'attendais à des merveilles,
à être ébloui. Je découvris bien vite que New York
n'était que Montréal en énorme, un plus gros mythe à
une heure et demie de train. Je revenais ici, au moins
une fois par semaine, pour mes parents, jusqu'au jour
où ils ont obtenu du gouvernement leur retraite en
Floride. Ils sont là-bas, au chaud. Mon père ne sculpte
plus de pêcheurs gaspésiens pour les enfants, parce qu'il

n'y a pas d'enfants dans leur coin. Ma mère est constamment à l'institut de thalassothérapie. Ils se baladent
dans leur banlieue de Miami. Je les vois assez souvent.

— Que faisais-tu à New York ?

— Ingénieur nucléaire. Bien rémunéré, des risques,
mais très protégé : dès qu'il y avait une dose excessive
de radioactivité dans la centrale, on nous accordait de
longs congés payés. Ensuite, il y eut l'accident. J'étais
dans la bâtisse, pas loin du réacteur... examens, hôpitaux, le reste de ma vie à traîner de clinique en clinique,
mais le goût de vivre, plus que jamais.

— Pas de vie sentimentale ?

— Si, un vrai papillon, avant l'accident bien sûr.

— Pas d'enfants ?

— Cela ressemble à un interrogatoire de police.
J'ai, comme des milliers d'autres, contribué bénévole-
ment au programme nataliste. Au début, j'étais réticent.
Puis, j'ai fait des dons de sperme comme on fait des
dons de sang ou de peau. Maintenant, je ne peux plus
rien donner, je ne regrette pas mes contributions anté-
rieures, pas du tout.

— Ainsi je pourrais être ton fils, Scott.

Tu t'es levé, tu m'as pris par les épaules et m'as
embrassé. J'ai d'abord trouvé ta réaction un peu
théâtrale.

— Si seulement cela pouvait être vrai ! as-tu mur-
muré, les yeux presque en larmes.

— Disons que c'est vrai. Arrosons ça.

Le Johnnie marchait à grandes enjambées sur
l'étiquette. Le liquide ambré descendait vertigineusement,
ma vue baissait au même rythme.

— Jamais je n'ai raconté ma vie à qui que ce soit.
Attendre quarante-sept ans pour, d'un coup, se confier à
un inconnu, devant une bouteille de whisky ! Je ne te connais pas, Guillaume, rien de toi, toi tu sais tout de moi.

Comment te parler de moi? Du regard tu m'encourageais. Le liquide envoyait une douce chaleur dans mes veines. Alors, moi aussi, je me suis libéré.

— Par où commencer? Ce n'est pas facile. Officiellement, je suis un artiste. J'ai choisi ce métier, car c'est le seul à pouvoir m'apporter une certaine liberté. Tandis que la plupart de mes contemporains s'ennuient derrière des consoles lumineuses, des écrans, des chaînes de robots, moi je vis dans l'imaginaire. Parfois, je m'égare dans des mondes immenses, sans borne et je ne sais plus revenir en arrière. Artiste n'est pas le terme qui décrit le mieux ma profession. Il faudrait dire saltimbanque. Oui, je suis plutôt cela, un amuseur que l'on déplace de casernes en écoles, d'expositions en théâtres, de magasins en bureaux.

« Les poètes et les saltimbanques peuvent exprimer tout haut ce que les autres doivent étouffer. Moi, j'essaie de montrer que la Nordamie n'est pas une île et que notre solidarité devrait s'étendre à tous. Il m'est très difficile de faire partager ce sentiment à mes contemporains. Mon cri de fraternité n'est qu'une rengaine vide que nul n'écoute, si ce n'est une poignée de poètes, aussi fous que moi. Je m'épuise à répéter à mes concitoyens que je n'ai aucun culte pour la Nordamie, que mon nationalisme est l'amour de la Terre. Je ne dors pas, comme les autres, à l'abri de notre drapeau, bannière d'étoiles avec sa feuille d'érable et sa petite fleur de lys, nations fondues en un grand empire aussi puissant que l'Europe ou la Russie. Nous vivons les mêmes joies, ennuis ou peines, buvons, mangeons les mêmes horreurs, d'une internationale insipidité, dansons sur les mêmes rythmes, lisons les mêmes slogans sur nos écrans, traversons des cités de verre, de lumière tout aussi froides d'un  bout à l'autre de la planète; je ne dis que cela et tout le monde se moque. Je ne me fais pas d'illusions.

Ce n'est pas moi, petit saltimbanque, qui réussirai à arracher notre pays à la contemplation de son nombril. Je ne parviendrai jamais à ce que les peuples mélangent leurs drapeaux et leurs cœurs dans une mosaïque fraternelle. Utopie, ô douce utopie, tant de guerres ne nous ont rien appris. Nous nous définissons toujours en nous opposant aux autres. Notre hymne national est un cri de haine ! Nous sommes loin de l'homme planétaire. Pourtant, nous nous ressemblons de plus en plus, l'Asie est moins jaune, l'Afrique moins noire, nous moins blancs. Un homme nouveau est apparu, plus beau, plus sain. Les peaux se sont mêlées, parfois les cœurs, mais les nations s'éloignent. Il faut se méfier des politiciens et des généticiens qui leur obéissent, pas des saltimbanques, ni des poètes ! »

— Le whisky délie les langues, quelle tirade Guillaume ! On s'épuise à tenir seul un flambeau aussi brûlant. Vis-tu en ermite ?

— L'appareilleur central m'a uni à deux personnes. Nous sommes surpris que la sélection se soit si bien opérée. Les statistiques montrent que les couples sont les plus fragiles au début et les plus solides à la longue, les quatuors les plus instables. Nous sommes donc dans la moyenne. D'abord, Laurence, vingt-sept ans, agrippée à la vie, inquiète, mais pas pessimiste, impulsive et tenace, je sens que je parle très mal d'elle. Je l'imagine ici, en ce moment, le soleil tissant ses cheveux de filets de lumière. Elle berce sa silhouette au son de la musique, tourne sur elle-même, se penche vers un hublot serre, observe des plantes exotiques, revient sur ses pas, s'enquiert de mes activités. Parfois passent dans ses yeux des reflets sombres. Elle a une étrange manière de laisser glisser sa nostalgie le long des paupières. Un courant de tristesse enveloppe ses cheveux qui ondulent sur le côté. La tête inclinée, Laurence se replie sur elle-même. Ses cheveux coulent entre mes doigts, son corps se love contre le mien. De nous deux, je ne sais lequel a le plus besoin d'affection. Est-ce le soir qui rayonne au soleil couchant? Est-ce la musique ou le bas des nuages qui se teinte de pâle? Quel romantisme démodé nous pousse l'un vers l'autre?

— Wow! Le whisky te stimule, Guillaume!

— Oui, je devrais arrêter de parler et de boire. Il y a aussi Matthieu, son vrai nom est Glen Matthieu, mais nous l'appelons toujours Matthieu. Nous avons le même âge, comme tous les G. Il a une tendance prononcée à la cyclothymie, avec lui alternent rapidement le chaud et le froid. Son regard subitement s'assombrit, son front se plisse. Pourtant, Matthieu est plein de force, de chair, de muscles. On le sent respirer sans effort, la poitrine large, le dos droit et souple, les cheveux bouclant en crinière blonde. On s'étonne de la faiblesse des forts, comme de leur douceur. Matthieu est un aventurier, un fonceur, un chercheur de liberté. Il est fort et il le sait. Il aime gonfler ses muscles, montrer comment il a construit son corps. Ses cheveux blonds tombent sur son front, souvent, une mèche voile ses yeux; alors, d'un coup vif, il la rejette en arrière, comme s'il voulait renvoyer une pensée qui s'imposerait périodiquement à lui. Après avoir dégagé son front, il nous sonde du regard et fait craquer ses jointures. Matthieu est un tendre qui, par ses muscles et sa mèche rebelle, tente de se donner des allures sauvages. Je nous vois tous les trois dans le module avec, devant nous, Montréal à peine éveillé. Laurence nous quitte pour aller travailler quelques heures à l'Hôpital général. Matthieu se détend dans le bain, avant de partir dans un chantier de construction hors de la ville. Moi, je me rends au foyer des artistes, où, pour mon plaisir, j'inventerai des contes pour les enfants. Ma magie tient à si peu, au pouvoir des mots, au feu d'un regard, à la bouche qui déclenche le rire, au geste qui mime. J'ai le trac, que vais-je leur dire ? Chaque fois, repartir à la conquête des spectateurs, les conduire avec moi sur les chemins de l'imaginaire. Je veux soulever les gens, les secouer de rire, les sentir au-dessus du quotidien. Mais ma tâche, Scott, est de plus en plus difficile. Que peut un clown devant des cœurs qui se ferment ?

Tu étais enfoncé dans le fauteuil, songeur.

— Jouer, Guillaume, jouer malgré tout.

Il y eut un long silence, comme s'il fallait laisser à notre amitié le temps d'établir des liens plus étroits. Tu te levas. Je t'accompagnai jusqu'à l'ascenseur. Devant la porte, d'une voix émue, tu m'as remercié.

La porte s'est refermée sur toi, ta main s'agitait en un au revoir et descendait dans un abîme infini. Je répétais ton nom, que je venais à peine d'apprendre. Je me suis hâté vers la fenêtre. Je t'ai vu en bas, petit, te diriger vers l'hélicoptère. Tu t'es arrêté, tu m'as cherché. Nos regards se sont croisés, tes bras se sont tendus vers moi. Nous nous sommes salués. Quelques secondes plus tard, l'appareil décolla, fit une ronde, puis disparut au milieu des autres aéronefs. Un fond de whisky traînait dans la bouteille.

Lorsque Laurence et Matthieu rentrèrent, j'étais étendu sur des coussins dans le salon, assommé par la boisson.

Le lendemain, le travail reprit son cours normal. Le rire de mes spectateurs restait noué dans leur gorge. Je n'arrivai pas plus, les jours suivants, à arracher le public à la morosité.

Me voici, de nouveau, face à mon pupitre. Mon visage se reflète parmi les lettres vertes qui défilent sur l'écran, au fur et à mesure que je parle. Elles s'effacent, page par page, avalées par la machine, déjà inscrites dans le passé.

Tant de lettres vertes entre mes yeux... C'est toi que je vois Scott. J'éteins. Je m'assoupis près du pupitre. Nos silhouettes, le long du fleuve, se confondent, se dédoublent, se réunissent, comme un corps sous le feu des projecteurs qui engendrent deux ombres, deux vies, pour un seul corps.

Nous marchons entre le ciel glacé et le frimas de la rive. Nos pas glissent sur l'herbe gelée, qui bruisse du froissement des tiges vitreuses. Nous sommes ensemble, dans le silence du givre. Nos yeux sont des billes froides. De nos cerveaux sortent des phrases qui gèlent sur les arbres. Un ordinateur luit au fond de l'eau verte, sous la glace du fleuve, plafond de lumière blanche au-dessus de mes songes. Je suis l'oeil fluvial, je vois deux silhouettes qui volent sur la croûte transparente, qui se fondent. Je m'éveille, l'alarme du courrier crépite. Un corbeau quitte la terrasse en craillant, un corbeau en plein hiver, deuil sur la neige, ombre sur ma vie.

Le moniteur scintille : « URGENT »  « URGENT » « URGENT »  « MESSAGE ».

# Chapitre II

## VIVRE DANS LA MÉMOIRE

DE John Scott à Guillaume.
« Salut !
Destin, Providence, Dieu ? Appelons comme nous
voulons la force qui nous a conduits au croisement de
nos vies. Des amitiés se construisent par une longue
route commune, d'autres naissent au détour d'une vie
et, aussitôt, atteignent leur pleine beauté. La nôtre est
de ces dernières, spontanée, précieuse.

Tu es arrivé dans ma détresse, je me suis accroché
à toi. J'ai pris le bonheur que tu m'offrais et dont
j'avais tant besoin. La tumeur est inextricable, elle
inonde mes cellules, broie mes réseaux, me paralyse.
Mon cerveau explose. Il n'y a plus de calmants pour
atténuer ma souffrance. Il n'y a plus rien à faire pour
moi, qu'aimer mon souvenir. Il ne me reste que quelques
secondes, la douleur hurle en moi, chienne enragée à
qui j'arrache ces mots. Je la nargue de toutes mes forces,
en te parlant, mon ami que j'ai à peine connu. Bientôt,
mes yeux verront, mes mains toucheront et je n'en saurai
rien, mon corps sera celui d'un automate désarticulé.
Je serai mort, aussi mort qu'une poule sans tête, le sang
coule sur le billot, la bête se démène, comme moi en ce

moment. La poule court à travers champs, se heurte aux clôtures, bat des ailes, cherche à fuir la terre qui lui prend son sang, qui la laisse en vie, mais morte. Je serai décapité. Combien de temps ma carcasse survivra-t-elle à mon esprit? Quelques heures, quelques jours, pas plus j'espère. Je devrais m'exprimer sur un autre ton. Je m'apitoie sur mon sort. Je ne suis pas digne, pas fort. Je divague, la douleur m'assaille, les mots sont difficiles à voler à la mort. Des barrières devant moi, des barbelés, mes lèvres s'y déchirent. Une brume s'étend sur mon cerveau. Un écran descend sur mes yeux, voile presque doux, qui estompe les contours, les enveloppe de gris, les éloigne.

J'entre dans la nuit. Je ne verrai plus la clarté du jour, ni le fleuve, ni les arbres givrés, ni ton visage, plus rien. Je ne toucherai plus les poupées de bois de mon père ni les fines mains de ma mère. Dis-leur de ne pas pleurer. Dis-leur que je suis parti dans un pays plus beau que la Floride, un pays où le mal n'existe pas, aucun mal. Des milliers d'enfants autour de moi, ils rient, rient et moi aussi avec eux, à pleine poitrine, libéré, au paradis des enfants. Je les entends, Guillaume, les entends-tu? Ils sont heureux, ils me saluent.

Je te crie mes derniers mots dans le micro. Un peu de calme en moi, quelques secondes. Guillaume, si je vis dans ta mémoire, je vivrai aussi longtemps que toi, je serai avec toi, comme un souvenir. Être, ne serait-ce qu'un souvenir, c'est ne pas mourir. »

Ta phrase est restée inachevée au milieu de l'écran. Plus loin, quelques lettres s'éparpillaient sur les dernières lignes. J'ai compris que ton front avait heurté le pupitre. L'administration postale concluait ton message par une épitaphe d'une cruelle concision.

Expéditeur décédé le 19 janvier 2033
à 20 h 45. Dossier de police 8025.
Rapport du médecin légiste dossier 5002.
Permis d'incinérer 7000. Fin.

L'écran se vida.

Je me suis levé. Le fleuve roulait ses eaux inso-
lentes. Je cherchais ta silhouette parmi les promeneurs.
Je frappais sur la vitre. Dehors, la vie continuait, sans
une miette de pitié.

Laurence, en entrant, me parla doucement. J'avais
le cœur broyé. Matthieu nous rejoignit dans la soirée.
Nous discutâmes de longues heures. Nous nous soû-
lions de mots. La mort ne devait pas gagner. Notre
parole était plus forte qu'elle. Notre bruit dominait son
vide infini. Elle battait en retraite.

Matthieu appela le dossier 8025. De toi, Scott, il
ne restait qu'un texte administratif, des faits, des dates,
un dossier nécrologique de plus, dérisoire sédimenta-
tion de nos existences.

John Scott né à Montréal le 27/05/1986.

Couvoir National, matricule 8025.

Pensionnat de Terrebonne, dossier : P.T. 5037.

Etudes à l'Institut Nordam d'enseignement.

Diplômé de l'Université de Montréal : dossier 2580.

Présentateur au J.T. : dossier 824.

Chaîne nationale.

Ingénieur nucléaire, accidenté, dossier : Centrale
Arlington Views.

Adresse permanente : 4525 Redcliffs Heights,
New York.

Décès le 19/01/33. Thrombose cérébrale. Dossier :
Service des radiations MTL. FIN.

Nous nous observâmes tristement. Laurence me tendit une combinaison thermique et nous prîmes l'ascenseur. Je n'avais plus envie de me plaindre de sa lenteur, je n'avais le goût de rien. Nous longeâmes le fleuve. Des mots résonnaient, des bouts de phrases émergeaient et s'éloignaient aussitôt qu'ils avaient atteint ma mémoire auditive. Les sons s'enfuient. Les voix se taisent. La vie s'efface, change pour devenir ce que nous nommons souvenirs.

Je t'entends : « Si j'étais Inuit je sauterais sur un bloc, je me laisserais dériver dans le courant ». Tu aurais dû agir ainsi, Scott-Souvenir. Pourquoi t'avoir rencontré ? À peine le temps de t'apprendre et subitement te sentir arraché, détruit, toi si semblable, si moi.

Le vent gémit autour du module. La neige poudroie, gifle les vitres. Le vent s'en va en pleurant. Lui aussi te cherche.

Dormir. Oublier. Effacer. Revenir au point de départ, repasser le film, modifier le scénario. Impossible. La douleur est là, pesante. Dormir. Ton visage, tes phrases remontent une à une. « Si je vis dans ta mémoire, je vivrai aussi longtemps que toi... » Comment pouvais-tu douter de cela ?

Mes idées s'embrouillent. Comme toi, je vais tomber sur le clavier, m'écrouler. Non, je veux continuer, essayer de vivre dans notre société sans joie, qui a décidé, par je ne sais quel maléfice collectif, que le temps des pleurs et des épouvantes devait durer jusqu'à l'ultime cataclysme. Janvier, 19 du mois, Scott tu n'es plus, plus qu'un souvenir...

# Chapitre III

## PROMENADES

S OUVENT j'ai longé le fleuve, cherchant ta silhouette, espérant qu'elle surgirait, drapée de brume, et m'emmènerait dans ton univers de transparence. En ce lieu, j'ai vécu un moment unique, lumière étincelante de l'amitié portée à son intensité maximale, hissée jusqu'à la césure brutale.

La bouteille de whisky est toujours à la même place. Je n'y touche pas. C'est une relique. Le témoignage de notre rencontre. Toi qui es arrivé à ton soleil, sors-moi du bourbier. Parfois, j'ai l'impression que tu me réponds, que tu es là, attentif au petit Guillaume qui bafouille dans un dictaphone sans âme. Je t'écoute, j'apprends à reconnaître ta voix en moi, j'y découvre même, de temps à autre, une pointe d'humour et d'ironie. Qui es-tu Souvenir, création de mon cerveau ou lutin narquois? Qui es-tu pour avoir fait naître un attachement si fort en si peu de temps? La bouteille de whisky est là, comme moi, à penser à toi. Ce que l'on doit être ridicules, elle et moi, vus de ton ailleurs.

Quelle cacophonie dans ma tête. Tu as été un éclair de bonheur, mais tu me laisses désemparé, tout aussi dérouté que ceux qui se ruent chez les cartomanciennes, voyantes, médiums, qui prolifèrent maintenant.

Chaque jour, au nom de tel ou tel érudit, la rumeur annonce la fin des fins, le vrai début de la vraie fin. Nous nous détruisons en chœur. Nous emboîtons le pas à toutes sortes d'illuminés. Il paraît même que c'est un signe précurseur du grand chaos. « On » nous prévoit des guerres, des famines, des tremblements de terre, des persécutions, des révolutions et des tempêtes.

Attentifs aux signes du ciel, des eaux, à l'écoute des spasmes du magma, beaucoup d'entre nous pensent que la Terre n'est plus qu'une toupie parvenue au bout de sa course folle. Pourtant, la nature réfute les prophéties de malheur, indifférente à l'escalade de la panique, elle ne s'est montrée ni étrange, ni inquiétante. Ainsi, le temps, durant ce mois, fut aussi froid que d'habitude, le soleil n'a ni faibli ni éclaté.

Je termine janvier un peu ragaillardi par la promenade que nous fîmes, aujourd'hui même, Matthieu et moi. Laissant l'hélicoptère à la lisière d'un bois, nous marchâmes tout l'après-midi à travers champs et forêts. Le soleil filtrait entre les branches. Il dessinait sur la neige de longues ombres. Bien emmitouflés dans nos combinaisons, nous oubliâmes la ville. La campagne figée dans le froid, le silence, effacèrent nos craintes. L'esprit quelque peu réconforté, nous prîmes notre place sur le chemin du retour, nous laissant guider dans les couloirs aériens, réjouis d'avoir pu contempler l'écorce d'un bouleau vibrant au vent ou les traces d'un lièvre dans la neige profonde.

Pourquoi n'ai-je pas su garder cette belle joie ? J'entendais ta voix, Souvenir, me prévenant : « Attention, vie fragile ! Attention, rumeurs voleuses de vie ! »

# Chapitre IV

## LES PARADIS ARTIFICIELS

### FÉVRIER

POURQUOI ne pas se laisser glisser dans l'alcool, les drogues, comme les autres, pourquoi se rebeller? Dis-moi Souvenir! Réponds! Mais non, tu t'en fous, tu es déjà dans ton nirvāna, tu n'es plus de ce monde! Tu as bien raison, mais moi je suis au présent. Le gouvernement a beau répéter que le bonheur est à notre portée, ses paroles rassurantes produisent l'effet inverse. Un soir, nous vîmes le collège des présidents, au complet, parader sur nos écrans, maquillages épais et sourires de commande. Le lendemain, la population se montra encore plus morbide que la veille. Les autorités changèrent de stratégie. De nombreux savants nous expliquèrent les origines de nos maux. Ils démolirent, par de solides discours, les fondements pernicieux des rumeurs. Trop tard, les craintes venaient du fond des âges. Les Nordams, les sens en éveil, épient une onde mystérieuse, impalpable, un *signe des temps*. Cataclysmes telluriques, pluies d'étoiles, bouillonnement de feu, les fantasmes des esprits s'échappent dans l'atmosphère et l'on attend leur manifestation immédiate.

La pseudo-société de loisirs est devenue une société de terreur. Le temps libéré est consacré à l'angoisse. Mes amis cherchent, chacun à sa manière, l'issue de secours. Souvent, je me retrouve seul dans le module. Nos grandes randonnées avec Matthieu, dans les forêts enneigées, se font de plus en plus rares. Laurence, quant à elle, passe presque tous ses moments de congé aux bains publics.

Les nouveaux bains sont situés à l'extérieur de la ville, sous une grande coupole où règne une atmosphère tropicale. On s'y rend en quelques minutes par les aérotrains municipaux. On peut s'y promener nu, ou légèrement vêtu, entre les allées d'un jardin verdoyant. Les palestres, piscines, tourbillons, invitent aux sports et au culte du corps. Certains se prélassent dans ces jungles artificielles en quête d'une aventure romantique, d'autres rêvent ou étudient, négligeant la faune bigarrée, tant humaine qu'animale qui les environne. N'imagine pas des scènes érotiques, l'érothèque municipale est là pour ça. Les bains municipaux sont des lieux de détente, de rencontres, de jeux. Matthieu y vient gonfler ses muscles et assouplir son échine à longueur de séances éprouvantes. Laurence raffole de l'eau salée des piscines, et de leurs vagues chaudes. On appelle ces lieux des « paradis ». Selon moi ce sont des parodies. Les plantes y sont plus tropicales que sous les tropiques, elles ont des fruits énormes, luisants, sans saveur. Les oiseaux me font pitié. Ils manquent de sauvagerie, de spontanéité. Ils sont domestiqués, soignés, sélectionnés en fonction de leur aptitude aux défécations sèches, entretien oblige.

Laurence était assise dans un fauteuil d'osier, près de la piscine. Elle portait une ample chemise africaine, cadeau de Süleyman, un de ses anciens collègues de travail, pour qui elle éprouvait plus que de l'amitié.

Aux pieds de Laurence, un oiseau bariolé décortiquait des arachides. Je m'étendis à côté de notre amie, sur une chaise longue en rotin.

Un paon paradait dans une allée, de l'eau coulait doucement sur un rocher et se perdait au milieu de fougères luisantes de rosée. Quelques adolescents jouaient au loin, aucun cri, rire ou exclamation n'émanait de leurs jeux. Seul le bruit des paumes, frappant la balle, nous parvenait irrégulièrement. Laurence parla de son rêve, retourner en Afrique, s'émerveiller devant les bougainvilliers en fleurs, sentir le parfum des orchidées, goûter la citronnelle fraîche, écouter le chant des oiseaux au bord des marigots, oublier nos problèmes, partir vers une contrée où les sourires jaillissent même dans la misère. Un pays que, chaque jour, elle enrichissait d'images nouvelles. Tu vois, Souvenir, combien d'êtres nous redécouvrons, si différents, combien de lieux nous revisitons sans cesse. Nous retraversons le passé, nous inventons l'avenir, pour y chercher des assurances, des surplus de vie, des confirmations. Nous sommes constamment en voyage. Nous voguons vers un idéal qui, souvent, rapetisse le présent. Il nous faut tant de chemins pour arriver à la paix intérieure. Il y a tant de fausses routes, de défaites, d'arrêts, de départs, jusqu'au point de l'immense silence, au point de lumière. L'Afrique de Laurence est une évasion qui la guérit. Toi aussi, Souvenir, tu deviens, au rythme de mes confidences, un pays à moi, une amicale thérapie. Le jour où tu ne suffiras plus, je sombrerai dans la folie, alors, il me faudra, comme Laurence, une Afrique de libération. Je crains de ne jamais trouver mon pays intérieur, ma Nordamie d'enfance, de glace et de vents purs.

— Nous avons eu, Matthieu et moi, une longue discussion hier, pendant que tu étais au travail, me confia Laurence.

Elle poursuivit avec gravité :

— Matthieu pense que nous pouvons renverser le courant de terreur qui a envahi nos esprits. Il faut, selon lui, que les Nordams reprennent confiance en eux, s'aiment individuellement et collectivement, aiment le monde !

Laurence prit une serviette de bain qu'elle glissa autour de son cou. Nous empruntâmes un sentier bordé de lauriers roses, qui parfumaient l'air humide.

Je ne pus m'empêcher de m'adresser à Laurence sur un ton un peu rude.

— Vous êtes en train de récolter dans un grand champ plein de fleurs de rêve et qui s'appelle Utopie ! Étiez-vous dans un état normal hier ?

Laurence fit semblant de ne pas avoir entendu ma question désobligeante.

— Matthieu prétend que seule une idée peut détruire une autre idée. Il voit le monde en double, le bien contre le mal, le fort contre le faible, le laid contre le beau, ainsi de suite. Au malheur, il faut opposer le bonheur. Son raisonnement est très simple, simpliste même. Les gens n'ont pas demandé à naître, ne veulent pas transmettre la vie dans la nécropolis actuelle. Rien n'a de sens dans notre société, puisqu'il n'y a plus d'héritage matériel ou culturel à transmettre. Ils ne connaissent plus leurs enfants pondus dans un couvoir d'état. Plutôt que de combattre, ils s'affaiblissent dans des introspections masochistes, plutôt que d'éviter les coups, ils s'en donnent, ils se flagellent, se nourrissent de mauvaises nouvelles, s'enivrent de sordide. Matthieu tente de sauver sa peau, sa vie, la nôtre, le reste il s'en fout. Il a construit son corps par volonté, il changera, dit-il, sa vie de la même façon. Il croit à la force que nous avons en nous. Je ne te dis pas combien de claquements de doigts, de gonflements de pectoraux, de coups de mèche accompagnèrent son argumentation. Si seulement ses idées pouvaient s'envoler avec sa mèche ! Il radoterait peut-être moins. Il exige sa libérté. Il ne fait que répéter ce mot. Il ne veut plus être manipulé.

— L'homme a-t-il jamais été libre ? Où ? Dans quel pays ? Quand ? Dis-le-moi vite Laurence, que j'y aille ! Libre, ce mot a-t-il un sens ?

— Calme-toi, Guillaume ! J'essaie de te rapporter, du mieux que je peux, les propos de Matthieu.

— J'ai du mal à partager ses idées. Je dois avoir l'esprit trop mou. Poursuivons notre marche, veux-tu ?

— Voilà ! reprit allégrement Laurence. Voilà ! Mou ! Ton esprit, tes jambes, ton ventre, tes idées, tu es mou ! Tout est mou ! Nous sommes mous ! Nous, vous, mous ! Tous mous ! Je suis molle, molle !

Des amoureux nous croisèrent sur un petit sentier serpentant à travers des feuilles géantes. Laurence s'adressa à eux :

— Vous êtes mous ! Vous, veaux mous, vous mous !

Le monsieur, en souriant, feignit de tâter son corps grassouillet. Sa compagne, ventripotente, ne laissa pas passer les remarques de Laurence.

— Je l'sais que j'suis molle ! Pas la peine d'alerter la région pour autant ! J'ai pas eu la chance d'échapper à leurs cochonneries radioactives, moi ! Ni à leurs hormones de croissance ! Molle, mais pas folle, moi !

Les yeux lançaient des flammes. D'un élan musclé, elle se rua sur Laurence, qui évita de justesse l'assaut de la masse vengeresse. La « radioactive » se releva, écumante de rage. Tirant vigoureusement Laurence par le bras, elle la fit basculer dans une mare.

— Je vais te montrer si je suis molle, moi !

J'observais, perplexe, le pugilat féminin. Laurence émergeait parmi les feuilles, une fleur de nénuphar élégamment juchée sur les cheveux. Elle remontait à la surface, statue vivante de la Grèce antique, naissant au milieu des eaux verdâtres. Les yeux lâchaient des éclairs. Je ne pus m'empêcher de rire aux éclats, ce que la lutteuse boulotte interpréta très négativement. Je pris conscience de mon manque de diplomatie, mais il était trop tard. L'eau s'avéra plus froide et les nénuphars plus nauséabonds que je ne le pensais. Alors que je sortais de la vase, le couple nous gratifia d'un ironique au revoir de la main.

Laurence, la fleur de nénuphar sur le front, hésitait entre le rire et la colère. Quant à moi, les pieds englués dans la vase, j'essayais de comprendre pourquoi nous étions là, à cet instant précis.

Laurence s'esclaffa. Je l'aidai à remonter sur la berge, mais ma sirène s'accrocha trop vivement à son sauveteur et je repiquai dans la boue. Dès la première douche, nous fîmes une grande toilette, sous les plaisanteries des passants qui trouvèrent original de vivre la même expérience que nous. La mare fut envahie par des excités qui redécouvraient les plaisirs enfantins.

Dans la soirée, nous regagnâmes le module où Matthieu nous attendait. Nous étions dans la première semaine de février. Le vent soufflait la neige autour de Montréal. Tantôt nous étions secoués par les rafales qui bousculaient l'hélicoptère, tantôt la neige se plaquait contre les vitres et, subitement, bouchait l'horizon. Les ordinateurs de bord renvoyaient leur lumière rassurante. Notre trajet jusqu'au module se profilait sur l'écran. À l'approche de la terrasse, nous retrouvâmes des vents plus calmes, tandis qu'en altitude hurlait la tempête.

Matthieu avait mis à réchauffer un plat préparé par les cuisines centrales. Un repas pour deux décongelait dans un four mural. Matthieu avait déjà absorbé une collation pour athlètes, étrange mixture pleine de vitamines et de composants soigneusement dosés. Nous traînâmes dans le bain masseur, pendant que Matthieu s'affairait sur sa console. Chacun prit son repas, comme d'habitude, seul. Laurence se dandinait au son de capsules stéréophoniques. Elle était absente, perdue dans un rythme tropical envoûtant. Matthieu se tourna vers moi, lâchant son écran.

— Je me sens prisonnier. J'ai perdu ma liberté. Travail, éducation, jusqu'à l'amour, la reproduction, le coït, tout est inventorié, comptabilisé. J'étouffe !

— Tu ressasses des lieux communs. Tu es intoxiqué par les hédonistes et autres allergiques au travail.

— Tu ne peux pas comprendre, Guillaume, tu es un saltimbanque, tu libères ton corps, tes idées, tu t'exprimes, moi je me comprime. Je surveille des robots qui fabriquent des modules résidentiels. Mêmes formes, mêmes couleurs, je finis par ressembler à ce que je côtoie. J'aimerais, comme toi, pouvoir dire : « Je fais ce que je suis ».

— Tu nous fatigues avec tes aphorismes à bon marché !

Matthieu s'énervait.

— Je ne suis plus moi-même. Mes jours sont monotones. Il ne me reste que des bouts de soirées pour profiter de leur putain de civilisation de loisirs ! Entre-temps, il faut sans cesse que je me recycle, que j'aille chercher un complément d'instruction, pour être dans la course, la course à quoi ? Après quoi courons-nous ? Personne ne me comprend. On rit de moi, parce que je n'emploie pas des mots savants, ça fait rabâché ! J'essaie de me libérer, mais je suis esclave de mes cachets, pilules, drogues, gadgets. Sans la société, je suis brisé. Je vis, je meurs pour rien. Je soigne mon corps, je sue à longueur de journée pour me tenir en forme, pour penser à autre chose, mais ma vie n'a plus de sens. Où sont mes

enfants ? La Nordamie est une monstrueuse mère ovu-
lante. Absurde ! La science-fiction est laide lorsqu'on
la vit ! Science-friction !

Matthieu ne relevait plus sa mèche. Ses cheveux
tombaient en broussaille sur son front, accentuant le
désarroi que l'on pouvait lire en lui. Les poings serrés,
la mâchoire avancée, les yeux de fer, nous le laissâmes
aller à sa colère.

— La torture, la guerre, la famine se répandent sur
la planète et nous ne disons rien. Le monde en sang
défile sur l'écran et nous mangeons nos bretzels, vau-
trés sur des coussins, en nous demandant comment lutter
contre notre obésité. La misère des autres reste celle
des autres !

— Arrête Matthieu, arrête, implorait Laurence.

— Vous devez me trouver ridicule. J'ai l'air d'un
pauvre type. Je ne fais pas une analyse sociologique,
psychologique, non, je ne raconte que ma vie, ma petite
vie en forme de cul-de-sac. Pour vous, je ne suis qu'un
monsieur biceps... Je suis écoeuré. Ma vie fuit. Mes
jours filent dans le néant. Je me sens vieux... Au
moment où tout chancelle en moi et autour de moi, je
prends la route. Ne me parlez plus de solidarité. La
masse est manipulée par des ténors véreux ; ni à droite,
ni à gauche, nulle part il n'y a de réponse. Je ne veux
pas crever !

Laurence s'avança, lâchant son stéréophone miniatu-
re, elle s'adressa à Matthieu sur un ton ironique :

— Ça y est ? T'as fini d'exposer tes problèmes exis-
tentiels ? T'as rien d'autre à étaler que ton spleen ?
T'aurais pas, par hasard, un refrain sur le passé buco-
lique, dans le genre « la belle vie de jadis aux pays d'en
haut » ? Un rêve qui sentirait le foin à pleines brassées

et les pompes à becs près de la maison en pierres des champs ! Matthieu, rebâtis pas le monde, il est déjà assez mal foutu comme ça.

Matthieu parut interloqué. Il cacha son visage dans ses mains et, à notre grande surprise, sanglota. Ainsi, pensais-je, nous venions d'entendre son cri, quelque chose de bloqué trop longtemps en lui et j'en avais bêtement souri. Laurence s'accroupit à ses côtés. Elle passa sa main sur la chevelure blonde de Matthieu. Il releva la tête.

— J'étouffe ici, j'étouffe !

Le cœur chargé, je me rendis au boudoir attenant au salon. J'empruntai les capsules stéréophoniques de Laurence. Une musique harmonieuse coula dans mes oreilles. Les programmes subliminaux m'éloignèrent du salon où mes amis discutaient. La ville brillait dans la baie vitrée. La neige recouvrait les modules, milliers d'igloos lumineux dans la nuit glacée. Je pensais à toi, Souvenir, j'étais d'ailleurs le seul. Jamais mes compagnons ne me parlaient de toi. Il ne fallait pas prononcer ton nom, pour ne pas évoquer ton sort tragique. Moi, je ne peux t'oublier. Grâce à toi, j'échappe aux peurs qui m'entourent. Je trouve ma liberté ici, en ta compagnie. L'esprit de l'oiseau peut s'échapper de la cage, c'est ce qui fait la force de l'oiseau. Ils ne pourront emprisonner mon esprit. Jamais. Merci, Souvenir, pour le brin de liberté cueilli ce soir au milieu de la crise.

Matthieu continuait :

— Je cherche la force qui mène à la liberté, au bonheur...

Laurence interpella Matthieu avec rudesse.

— Franchement t'es complètement désorbité ! Prends donc un comprimé d'hilarium, ça t'évitera de divaguer.

D'un bond Matthieu fut debout. Il fila vers le sas d'entrée, nous laissant pantois. Quelques minutes plus tard, son hélicoptère s'éleva dans un tourbillon de neige.

Laurence avala un comprimé d'hilarium. Je l'imitai. Le cachet fit rapidement effet. La pilule vitaminée nous ouvrait des routes paisibles, des sentiers sans danger. Laurence s'approcha. Son corps m'enveloppa. Nous restâmes étendus sur les coussins du salon, voyageant à fleur de peau. La radio joua un vieil air nostalgique, « La vie en rose ». Il neigeait.

— L'amour, l'orgasme, si c'était ça la liberté, Laurence ?

Elle souriait. Elle mit sa main sur ma bouche pour me faire taire. Dans ma tête, sur un écran de vapeur, un mot s'imprimait, par éclairs : Liberté ! Liberté ! Le mot s'envolait sur les ailes d'un oiseau, le reflet d'une vague, une feuille au vent.

Les flocons valsaient. La voix de jazz nous conduisait vers l'amour en rose.

Au nom d'un idéal, Matthieu engageait sa vie sur les chemins de l'aventure. Les routes de mon destin me conduisaient maintenant à la rencontre d'êtres de plus en plus étranges. Malheureusement pour moi, l'école du cirque ne m'avait pas préparé à affronter le cirque de la vie.

# Chapitre V

## LA PROPHÉTESSE

L E soleil n'est ni rouge ni jaune, comme dans les dessins d'enfant, mais brun-vert, sale.

Dans le ciel pâlot, brillent des messages que je n'ai pas besoin de lire, tant ils sont gravés dans mon esprit. « Nordamie, Terre du bonheur ! » En arrière-plan, un couple sur fond de cascade dans l'automne laurentien. « Nordam, fils du sourire ! » Au-dessus, un adolescent tacheté de rousseur boit un verre de lait d'une blancheur immaculée. À travers les poussières, s'inscrit, en ce moment même : « Nordamie mon amour ! », sous ce slogan, une ronde d'hommes et de femmes qui s'embrassent.

Chaque matin, je m'inquiète de ce qui se passe ailleurs dans le monde. Les nouvelles ne sont pas meilleures que chez nous. Les télévisions officielles débitent leurs propagandes habituelles, parades de chefs d'état, poignées de mains, sourires froids, déclarations fumeuses, records, inventions, prouesses scientifiques, premiers prix, vedettes, publicités, partout c'est pareil, mais personne ne parle de notre peur. Les télédictateurs règnent sur les ondes. Hérédité, santé, vices, habitudes, dépenses, recettes, ils savent tout, sur chacun de nous. Au nom de la sécurité d'état, ils notent ce que j'ai acheté hier, ils me suggèrent quoi acheter demain. Je suis subliminalement conduit jusqu'à l'objet de mes rêves téléguidés. Non, j'exagère, je répète ce que Matthieu nous disait avant son départ. La Nordamie a peut-être sale mine, pourtant elle avance. Elle se heurte, se fait mal, mais ne tombe pas. Selon les savants, notre malaise n'est dû qu'à l'ionisation néfaste de l'atmosphère.

« Robot, lolo, dodo ! » crient ceux qui, comme Matthieu, se révoltent. Personne pour entendre. Ainsi, lorsque je me rends au travail, tandis que mon appareil suit méticuleusement la route tracée sur l'écran, j'aperçois d'autres Montréalais, dans des véhicules identiques au mien, s'alignant tristement dans le même couloir aérien que moi. Nous nous dépassons, nous nous évitons, sans effort. Toronto ou Montréal, Vancouver ou New York, Chicago ou Québec, mêmes frôlements d'anonymes, d'automates circulant dans le silence et la sécurité électronique.

En route vers le travail, je pensais à Laurence. Quelques heures par jour dans un hôpital gigantesque, un garage à humains : rotation des infirmières, des malades, pas d'attachement, rien n'est privé en Nordamie, ni les médecins, ni la vie. Tout est sur l'écran. Tournez docteurs, dégagez malades, retournez devant vos écrans avec vos plaies, bobos, inquiétudes et névroses.

Laurence longe les couloirs aseptisés, moi, saltimbanque de mon état, j'installe mes tréteaux au milieu des places publiques, des bureaux, des gymnases, écoles, centres de détention, partout où l'administration m'envoie. Je raconte des histoires farfelues pour faire oublier que nous sommes en Nordamie, en février 2033. J'invite mes spectateurs à explorer les immensités du rêve, où l'homme crée des mondes qu'il efface d'un sourire et recrée de nouveau. Pays sans dimension, où les êtres évoluent dans le jaillissement des idées. Il suffit simplement de laisser aller son cœur, pour que s'ouvre l'univers de l'imagination : « Entrez mesdames, messieurs ! Entrez dans l'incroyable géographie de vos esprits, laissez-vous emporter par l'illusion, le fantastique, l'irréel. Vivez vos rêves, rêvez vos vies ! Approchez ! Approchez ! Venez visiter les planètes du rire, celles de la peur, de l'humour, de la poésie ou les autres soleils qui dorment dans vos cœurs, galaxies d'amour, comètes de joie et de tendresse ! Entrez mesdames et messieurs, un pas de plus et vous pénétrez dans le Grand Univers, le plus grand, celui de l'imaginaire... ! »

Mon discours reste dans ma tête, ma place est prise. Autour de mon podium, un attroupement s'est formé. Une femme est debout. Elle a troqué la combinaison thermique contre une robe qui lui va jusqu'aux pieds. Sa blouse de laine grossière est serrée à la taille par une ceinture de corde. Ses bras bleus s'agitent dans des manches trop larges. Ses yeux roulent de tous bords, accompagnant sa voix rauque :

— Le soleil va devenir une géante rouge, comme Bételgeuse dans la constellation d'Orion ! Le soleil va nous brûler jusqu'à la mort, l'eau bouillira, l'air se transformera en vapeur, nous n'y pourrons rien ! Alors, le soleil ne sera plus qu'une étoile morte ! La Terre sera ravagée, je ne vous dis pas quand, mais je le sais !

L'index haut pointé, elle continuait :

— Oui ! Le futur se mire dans le passé. Le présent rejoint le passé. Le présent attend l'avenir. Le présent est plein d'avertissements. Nous n'y pouvons rien !

— Niaiseuse ! cria un homme.

Furieuse, la femme fendit le groupe. Elle fonça vers l'individu. L'homme blêmit. La bouche ouverte, il observait la silhouette émaciée se ruant sur lui. La foule

s'ouvrait devant elle et aussitôt l'enveloppait avec inquiétude. Au passage, je pus observer d'assez près les traits
de la prophétesse. Aucun maquillage, des rides pro-
fondes, un teint vitreux, je distinguais nettement ses
veines dilatées. Les longs cheveux secs accentuaient les
lignes de sa figure tirée.

Elle s'arrêta en face du gaillard qui, maintenant,
n'en menait pas large. Malgré sa petite taille, elle le
toisait.

— Je dis la vérité! lança-t-elle en tapant de son
index la poitrine de l'intervenant. Ce dernier était
pétrifié.

— Écoute-moi bien, incrédule que tu es! Le soleil
est malade, nous le sommes aussi. Ne vois-tu pas les
rayons sales et l'air de plomb qui nous étouffe? La
galaxie entière vacille, la Terre craque, le feu jaillit de
ses entrailles, un nouveau monde est en train d'enfanter
et nous disparaissons avec l'ancien. On prétendait que
la Terre vivrait encore trois milliards d'années, moi, je
vous annonce que la Terre mourra bientôt. Perdues
dans l'espace, nos colonies spatiales navigueront quelques
années encore, puis, elles aussi, s'écrouleront dans le
chaos cosmique! Nul n'y échappera!

Fatras de balivernes, pensais-je. Encore une diseuse
d'horreur. Il n'est pas étonnant que la Nordamie soit si
inquiète; comment se fait-il que la population gobe ces
insanités? Mais la femme usait de sa voix avec perfection.

— Déjà la Terre gronde, bouge, palpite, crève, le
soleil ne luit plus comme jadis. Puis le soleil réapparaîtra,
il bombardera comme jamais auparavant la Terre. Nos
arbres n'en peuvent plus, nos animaux meurent, nos
corps se couvrent de croûtes galeuses!

Regagnant le podium, accompagnée du regard de
tous, elle souleva sa robe. Elle exhiba ses jambes cou-
vertes d'une peau suppurante. Le public eut un haut-

le-cœur. Un silence s'établit, qui ne fut interrompu que par un brouhaha venu du côté de l'intervenant de tantôt. Un cercle se forma autour de lui, l'homme venait de s'écrouler.

Chacun tendait le cou pour mieux observer, on se bousculait, ceux du premier rang s'écartaient, ceux du dernier faisaient pression. Je me retournai vers le podium. Surprise! La femme avait disparu.

La foule se dispersa en murmurant. Une équipe d'urgence ramassa le cadavre. L'allée redevenait libre, comme si rien ne s'était passé. Je n'avais aucunement envie d'occuper ma place sur l'estrade. Je laissai mon déguisement de clown dans mon sac, errai dans le centre, sans but précis, puis je rejoignis l'hélicoptère.

Le quotidien encrasse mes rires, me colle à la peau. Matthieu a raison, on étouffe. La réalité n'aime pas le rêve, brise la poésie. Les prophètes de malheur prennent la place des clowns. Oui, Matthieu, seule une idée, une force, peut en bousculer une autre, mais il faudra beaucoup d'amour pour arrêter cette corrosion.

J'ai besoin de Matthieu, de sa fougue, de sa lucidité. Je tremble pour Laurence trop fragile dans ses hôpitaux de plastique aux odeurs camphrées et je me réfugie sans cesse auprès de toi, Souvenir!

Je te cherche. Souvent il me semble te reconnaître au milieu de la foule. Combien de silhouettes ainsi m'ont trompé. Tant de fois réincarné, aussitôt disparu, tu te multiplies, te divises et repars. Derrière quel masque te caches-tu? De quels angles confondus perçois-tu notre réalité? N'es-tu pas plus vivant que nous, Souvenir? Ne sommes-nous que des formes de vie? des instants animés? Insectes hystériques, penseurs prétentieux, molécules fébriles, impatientes, malheureuses de l'attente, de l'avenir, lucioles, éphémères, que sommes-nous? Millions de palpitations, de verbes, de mots perdus, ombres de poètes, infinitésimale particule de la vie qui nous englobe, à peine l'effleurement d'un reflet, la trace d'une trace, ne sommes-nous qu'une illusion ? Nous sommes, peut-être, des attentes, vibrantes devant le miroir sans tain, qui, chacune à son tour, traversent la bulle de vie, pour voir l'ailleurs d'éternité.

Pour la première fois, depuis deux semaines, le soleil perce l'air de soufre. Le vent se lève. Il bouscule les nuages verts à l'horizon. Je me sens rajeuni par les rayons qui jouent sur la cabine. En bas, la ville se dégage, des nuées s'étirent sur la neige.

Il y a des journées où les idées renaissent, le corps est plus souple et, même, un parfum de printemps ose s'infiltrer dans les hôpitaux et les prisons.

Ce matin, j'avais installé mes tréteaux au carrefour principal d'un centre commercial. Des affiches lumineuses signalaient ma présence. J'avais déclenché l'avertisseur de travail qui comptabilise mes heures. Pour la première fois, depuis décembre, je retrouvais les Nordams presque heureux de vivre. Je dis « presque », Souvenir, car le moindre rappel des journées précédentes aurait instantanément assombri leurs visages. Je me suis enivré de ce bonheur que je savais bien trop passager.

## Chapitre VI

## UNE ÉTRANGE SPECTATRICE

L E ciel glisse parmi les tours, les ombres défilent sur la cité encore endormie. Je suis brisé. Hier, j'ai donné tout ce que j'avais en moi. J'ai puisé au fond de mes réserves, pour dérider le public. Le rire n'a pu naître qu'une fraction de seconde sur les bouches verrouillées.

Certains jours, les alentours de mes tréteaux sont vides. Quelques passants jettent un coup d'œil et, blasés, continuent leur chemin. Ils ont vu de meilleurs spectacles sur leur écran, rien ne les étonne. Parfois, une bande d'adolescents s'attarde près de moi, ils me posent deux ou trois questions, puis repartent, désabusés. Il n'y a que les petits, ceux de cinq ans ou moins, qui s'extasient devant les balles de couleur que je lance en l'air. Ils suivent mes jongleries. Il y a tant d'émotion sur leur frimousse, d'abandon, de confiance que, pour eux, rien que pour eux, je jouerais jusqu'au bout de mes forces.

Leurs nounous attendent dans un coin du centre commercial, me laissant une pouponnière attentive. Je suis leur grand frère, leur oncle, leur père, leur clown de rêve. Certains viennent m'embrasser.

Souvenir, admires-tu comme moi les cheveux bouclés de cette petite fille, les doigts menus de ce bébé ? Il rit, sa langue sursaute, ses joues se gonflent. D'un coup, les adultes s'arrêtent et je cueille un ou deux beaux rayons de gaieté parmi les spectateurs.

Quand le public a l'âme à la douceur, je prends ma flûte ou mon pipeau et je joue comme si j'étais seul en été, dans un grand champ de blé sous le vent.

Je sais ce qui nous manque, Souvenir, de la tendresse, de l'amour, de l'humour. Pourquoi cet enfant m'a-t-il tendu ses bras, a tapoté mon nez rouge, a caressé ma perruque et m'a dit : « Je t'aime » ? J'étais mélancolique, lorsque le pensionnat s'est éloigné, et l'enfant s'est retourné souvent dans ma direction, jusqu'à ce que je disparaisse complètement à sa vue. Nous étions en larmes. Les couleurs se mélangeaient sur mon visage. J'ai pris mon pipeau. J'ai joué, sans m'occuper de personne, pour moi et pour ce bambin.

Plusieurs jours de suite, une jeune femme accapara mon esprit. Elle s'asseyait au premier rang. Dès que nos yeux s'affrontaient, je bafouillais, j'improvisais maladroitement. Je faisais ce que je pouvais pour l'éviter, mais, immanquablement je me retrouvais face à elle. J'avais l'impression qu'elle extirpait de moi ce qu'elle voulait, qu'elle allait, comme une pieuvre, chercher ce que j'avais caché dans une grotte de mon subconscient. J'en perdais le sommeil. Elle me détruisait, m'infligeait une tension obsédante.

Un jour, n'en pouvant plus, je décidai de l'aborder à la fin du dernier numéro. Je courus après elle, tandis qu'elle se faufilait en hâte vers la sortie du centre commercial. Je réussis à toucher, très légèrement, son bras, aussitôt elle tressaillit et, comme un automate, se tourna vers moi. Son corps était rigide, son regard d'une dureté insoutenable.

Je me rappelle son visage. Les lignes, à peine anguleuses, lui donnaient un soupçon de fraîcheur sauvage. Une peau très fine, presque pas de rides, un front dégagé, les cheveux courts, d'un noir vif, pour le reste, je ne sais plus très bien. Elle paraissait fragile. Elle captait mon attention. Un courant me sondait, faisait le tour de mon cerveau. Je ne pouvais rien dire, déjà, elle s'éloignait, me laissant seul entre les chaises, les bras pendant stupidement sur mon déguisement. J'emballai mes affaires, convaincu que jamais je ne découvrirais le mystère de cette personne.

Quelques jours plus tard, j'étais en tournée dans l'Outaouais. Même si ce havre de paix contraste avec la trépidante métropole, les gens n'y étaient pourtant pas plus détendus qu'ailleurs. Chacun était préoccupé du lendemain. La peur était partout visible. Comme dans les autres parties du pays, on pouvait remarquer, dans la campagne, quelques bunkers, véritables châteaux forts privés, caches à nourriture, à médicaments, abris nucléaires, constructions antisismiques. Tout était prêt pour lutter contre un autre pays, un ennemi identifié, une armée, des ogives foudroyantes, alors que l'adversaire était déjà sur le terrain, logé dans l'esprit des habitants. La cible était atteinte, parasitée, pourrissante, rendant ces préparatifs de survie dérisoires.

Je terminais ma série de spectacles. Il ne me restait plus qu'à rentrer à Montréal, en survolant la majestueuse rivière des Outaouais, large ruban gelé couvert de neige, déroulant ses méandres entre les cités besogneuses et les montagnes boisées. J'étais déjà prêt à rejoindre, en pensée, Laurence dans notre module douillet, lorsqu'un événement curieux se produisit.

Je me trouvais dans le centre commercial d'une importante cité de la région nommée Portage. Je jouais devant quelques adolescents quand, subitement, surgit de je ne sais où, mon étrange spectatrice. Il y avait dans ses yeux des nuances de chagrin. La pieuvre n'était plus qu'une algue en dérive. J'en éprouvais presque de la fierté, je la dominais. Je n'avais plus peur d'elle. J'en soupirais d'aise.

Elle s'approcha, un parfum se répandit autour d'elle. Elle fouilla dans les poches de sa veste thermique. Elle me tendit, d'une main nerveuse, un micro-disque. Déjà, elle s'enfuyait. Je réussis à la retenir par le bras. Elle se débattit. Elle hochait vivement la tête, comme pour esquiver les coups d'un vautour fonçant sur elle, piquant à droite, griffant à gauche. Je ne la serrais plus. Elle levait les bras pour chasser l'oiseau de proie. Elle s'arrêta soudainement. De ses yeux exorbités, elle me lançait son venin. Je buvais, je m'imbibais de son fiel. Elle se retourna d'un coup et partit comme un pantin que nul ne semblait remarquer.

Je m'effondrai sur une chaise. Mon pipeau, seul sur un banc, m'attendait. Mon violon traînait sur la scène, en quête d'une touche tendre. Les balles désiraient, elles aussi, me parler, sauter, ne pas rester comme de vieilles boules dans un coin sombre. Les objets s'exprimaient. Dans ma main, le disque ; j'avais envie de le piétiner, de le broyer. Je l'ai mis dans mon sac, avec deux marionnettes. J'ai tout rangé, inconscient de ce que je faisais. Ce n'est qu'au-dessus de la route tracée par la rivière que je tentai de mettre de l'ordre dans mes idées.

On pressent parfois certaines choses, quelques indices orientent votre réflexion et l'avenir se dessine en filigrane sur la ligne de votre vie. Je savais cela, Souvenir. Suspendu au-dessus de la belle vallée, je n'arrivais pas à me rassurer.

Les modules, éparpillés dans la campagne, renvoyaient le faisceau du soleil couchant, colliers de perles incandescentes, bijoux de feu dans le crépuscule. Ces beautés d'un soir d'hiver, je ne les admirais plus, tant je craignais la teneur du message enregistré sur le disque.

# Chapitre VII

# LE MESSAGE

IL y a des personnes qui attirent la sympathie,
« l'amitié. Tu es de celles-là. Vous êtes des
rayonnants. Vous puisez en vous l'intensité des êtres,
vous la rassemblez dans une saynète, un poème, une
chanson. Votre talent pousse l'ordinaire jusqu'au bout
de sa puissance, de sa démence, jusqu'à la beauté. Vous
émettez votre énergie et recueillez la nôtre, échange de
fluides invisibles, transmission de force magique, au
nom du rythme, de la phrase, de l'art. Toi, le clown, tu
es une part d'enfance, de rêve. Tu sors de nos livres
d'images. Je ne t'ai même pas choisi, tu étais sur le
cours de ma vie, inévitable étape.

« Je dépose dans ton sac plein de bravos, de
paillettes, d'étoiles, de balles multicolores, un cadeau
empoisonné. Je ne sais pas pourquoi, parfois, on fait
du mal à ceux que l'on aime. Plus tu iras loin dans la
lecture de ce disque et plus tu prendras mon maléfice.
Je te livre le poids de ma peine, elle part avec toi.

« Avant, je vivais en paix. Puis est venue la peur
qui nous mine tous. Durant des semaines, j'ai évité les
contacts. Je n'ai regardé aucune télévision, j'ai résisté.

Mes amies, mes compagnons, flanchaient. Je m'étonnais de si bien repousser les angoisses collectives. Je ne pensais pas que ce calme n'était qu'un répit avant la tourmente.

« Je me promenais, un soir de janvier, autour de l'ancien parlement du Canada à Ottawa. Les immeubles sont vides, depuis que notre pays s'est doté d'une capitale itinérante qui reflète mieux la confédération canado-américaine. Je n'aurais jamais dû me hasarder dans ces lieux pleins d'histoire et hantés par les âmes d'illustres disparus. Je contemplais l'horizon rougeoyant. Au loin, le soleil dessinait, avec netteté, le contour des collines de la Gatineau. À mes pieds, la rivière guidait les bourrasques dans la vallée glacée. On n'entendait que le bruit des arbres qui craquaient sous l'effet du gel et le sifflement de la bise dans les branches dénudées. Quelques écureuils noirs bondissaient parmi les arbres. La grosse horloge sonna cinq heures. Soudainement, je perçus le bruit de pas sur la neige durcie. Je  me retournai. Il n'y avait personne. J'essayais de ne penser qu'aux écureuils et à leurs jeux innocents, mais eux aussi s'arrêtèrent. La frimousse inquiète de l'un d'entre eux sortait d'un tronc, l'autre, la tête suspendue dans le vide, les pattes bien agrippées à l'écorce, agitait vivement sa queue. Leurs yeux étaient rivés sur quelque chose qui venait à ma rencontre et que je ne percevais pas encore. Un frisson me parcourut. Subitement, comme une volée de moineaux, les écureuils fuirent dans la neige, me laissant désemparée. Longtemps je ne vis rien, puis, au coin d'un mur sombre, je le distinguai vaguement. Il s'avançait vers moi. À présent, sa silhouette se dégageait des contreforts de la bibliothèque. Sur la pierre noircie apparut une statue vivante, pas un fantôme, je n'avais pas perdu la raison, l'homme était habillé, comme nous, d'une combinaison thermique, mais quel regard ! Dans le soleil couchant, ses orbites lançaient des rayons, pareils à ceux d'un chat la nuit. Je tremblais. J'étais sûre que l'homme avait des idées criminelles. Il allait me jeter par-dessus le muret et se rassasier de mes cris d'horreur. La falaise, les arbres, les écureuils, ce n'était pas assez haut pour que je meure. Ce raisonnement, un peu ridicule, en de pareilles circonstances, me rassura. À moins que... Oui, il allait sadiquement m'égorger. Je voulais courir, mais ne pouvais bouger, je hurlais, mais aucun son ne sortait de ma bouche. Personne autour de nous. Aucune patrouille dans le ciel, aucun phare de police fouillant les abords du parlement, rien que cet homme, qui venait vers moi avec une assurance impitoyable. Je sentis son haleine putride. Sa voix de serpent s'insinua dans mes oreilles, força ma raison. Elle revient sans cesse, elle est gravée au fond de moi. Elle dit : « Tu seras liseuse de pensées, pourvoyeuse de misère. À ton tour, tu transmettras le mauvais sort. Tu ne seras libérée que lorsque tu parviendras à capturer un être plus fragile que toi. Aujourd'hui, la chaîne continue. Je n'étais que maillon. Je reprends ma place dans le courant de la vie. » L'homme recula. D'un coup, ses yeux perdirent leur éclat. Il disparut dans ce sinistre soir d'hiver. Je l'entendis rire, tandis qu'il courait dans la neige. Les écureuils, seuls témoins de l'étrange passation de maléfices, sortirent de leur cachette, s'approchèrent de moi, confiants. Lorsque nos regards se croisèrent, ils lâchèrent un cri d'effroi ; pris de panique ils détalèrent sur la croûte neigeuse. J'étais vivante, mais détruite.

« Depuis ce jour, mon regard, que je ne peux modifier, effraie mes amis. Les apparences m'isolent. Je suis une pestiférée, un monstre, la « liseuse de pensées ». On me redoute, on a peur de moi, moi-même je me fais peur.

« Je fais sortir le sentiment profond, celui qui est inscrit sur la pellicule de nos pensées les plus intimes. Le discours que l'on cache, je l'expose en pleine lumière. Les gens ne disent pas, en ma présence, ce qu'ils aimeraient dire, mais ce qu'ils croient vraiment. Sans cesse, ils se trahissent et s'étonnent de leur propos. Je soulève le serpent venimeux sous chaque mot. Ce que l'on masque, déguise, je l'entends. Je force le mot intérieur à s'échapper, sonorités, bien souvent, regrettables. Je sais la vraie face des êtres. Les objets m'envoûtent, me possèdent, je vois leur vie et ils me volent la mienne. Mon cerveau est une machine que je ne contrôle plus. Je suis instrument, corps et raison aliénés, et je suis trop consciente d'être ainsi pour n'en pas souffrir. Je navigue dans un espace qui m'envoie mille messages, que personne d'autre que moi ne semble capter. Les plantes, les animaux, me parlent. L'esprit est dans la table, la chaise ou la télévision. Le robinet coule de lui-même, les lampes s'allument, la porte, vingt fois fermée, s'obstine à rester ouverte. La rue me sera hostile si je n'y repasse pas encore une fois, pour lui faire plaisir. Il y a un rite, un code de procédures épuisantes, pour se concilier les choses. Il me faut quitter la pièce le pied droit en dernier, monter un escalier en évitant la troisième marche. Au début, je riais de mes phobies. Je pensais que le chiffre treize, l'oiseau à gauche, étaient de mauvais augure, mais, depuis mon envoûtement, tout a changé. Si les autres se dévoilent à moi sous un jour inconnu, moi aussi je me révèle à eux. Quand je parle, je fais mal et je me blesse. Désormais, je me réfugie dans le silence. Je me déplace le moins possible. Je vis cloîtrée, pour ne rencontrer personne. Je ne veux plus caresser vingt fois la porte pour qu'elle ne me soit pas hostile, ni cent fois vérifier les lumières du module ou les robinets, qui, pour se venger, n'hésiteraient pas à déclencher des cataclysmes à domicile. Me taire, ne pas me trahir, ne pas révéler mes névroses, ne pas dire que je suis ensorcelée. Toi le clown, tu me reconduis sur les chemins de l'insouciance. Je sens un parfum de liberté, un souffle d'air pur. Ta clarté descend en moi. Tu aimes les enfants, c'est dans ce royaume que je voudrais retourner. Avec tes yeux trop largement dessinés, ton nez grotesque, ta voix cassée, tu es messager de joie, moi de malheur.

« En cet instant où tu m'écoutes, j'extirpe le mal, mon esprit transfuse en toi le venin de la haine et de l'ubiquité maléfique. Désormais, tu verras les esprits, bons ou mauvais, et tu passeras ta vie à te concilier leurs faveurs. Tu seras malhabile avec ta phrase. Tu regretteras tes mots, ton cerveau fourchera ta langue, de toi sortiront des abominations. Tes pieds trébucheront, tu marcheras en comptant tes pas pour t'allier les choses et le destin. Mes tourments, mes errances, je te les inflige, car leur poids m'est intolérable. Je vole ton âme d'enfant. Je ne serai plus la liseuse de pensées, la médiseuse, celle qui perd ses idées et sème la désolation. Je serai fleur sauvage, rien qu'une fleur, pleine de parfum, une odeur de matin, une goutte de rosée, un sillage de lavande. »

# Chapitre VIII

## PRISONNIER

J'AI fermé l'écran. Je suis sorti. Une neige laineuse tombait en désordre. J'ai marché le long du fleuve. La brume montait des eaux et se mélangeait à la neige. Je me faisais gouttelette. Je m'élevais parmi les molécules suspendues entre le ciel et le fleuve, demi-monde en gestation, univers onirique de brouillard, confins des pensées, où je voulais me réfugier.

J'aurais pu prendre l'un ou l'autre de nos médicaments qui redonnent en quelques secondes un optimisme artificiel, mais je n'avais aucune envie de fuir, dans des horizons chimiques, une réalité qui m'attendrait entre chaque cachet. J'aspirais à une longue et naturelle somnolence, un état d'hibernation, alors que je savais que je ne pouvais atteindre le sommeil qu'au bout de ma journée. Dormir, dormir. Oublier qui je suis, oublier la liseuse de pensées, aller dans ton pays, Souvenir, rêver avec toi, quelque part dans le temps et l'espace.

Maintenant, je ne me contrôle plus. Les arbres me saluent, se moquent de moi, leurs bras se tendent, secouent leur neige sur mon passage. Je retourne au module, frissonnant de fièvre. La porte de l'immeuble reste fermée. Le tapis automatique est plein de glace. La porte fait exprès de ne pas bouger. L'immeuble me rejette puis, la porte daigne s'ouvrir, lentement.

Enfin, le module, la baie vitrée, la ville au loin, des oiseaux noirs traversent le ciel de gauche à droite ; mauvais signe. Dormir. Quelques minutes avant de partir au travail, s'étendre. Les oiseaux tournent autour du module. Ils foncent sur la fenêtre, donnent des coups de bec hargneux. Ils veulent me dépecer. Je me réveille. Il n'y a rien qu'un petit moineau sur le rebord de la fenêtre. Il m'observe d'un oeil, puis de l'autre. Il sautille, s'amuse. Est-ce qu'il rit ? Comment rit un oiseau ? Quel âge ? Un peu de pain dans ma main, je vais sur la terrasse ; il a peur. Est-ce que lui aussi lit mes pensées ? Il vient près de moi, se méfie. Le voilà dans ma main. Je tremble. Il picore délicatement le pain. Pourquoi ai-je envie de refermer ma main ? Bouillie d'oiseau, j'écrase. Les ailes s'écartent. L'oiseau se débat, des plumes dans la neige, son corps chaud, minuscule dans la neige qui fond autour. Non, Guillaume, tu es bon, bon. L'oiseau est encore dans ma main. Ça y est, ma main l'emprisonne, malgré moi. Souvenir, aide-moi, aide-moi ! Un coup de vent, un bruit quelque part en bas, l'oiseau s'envole. Il file, frêle frôlement de plumes, doux bruissement d'une fuite, mes mains sont grandes ouvertes, surprises d'avoir épargné une vie fragile.

Je ne suis que sueur froide. Laurence, Matthieu, sortez-moi de ce piège. Délivrez-moi ! Matthieu, tu as raison, il faut partir, n'importe où, chercher ailleurs, voyager pour arriver nulle part, mais échapper à soi, au monde, aux habitudes, partir, hors de soi. Rester c'est mourir.

Matinée de travail.

Un enfant joue avec un gros chat égaré dans la galerie marchande.

— Minou! Minou!

Le chat fait l'indifférent, il continue son chemin.

— Minou! Minou!

Le chat s'arrête, se retourne, vient vers l'enfant. Le chat veut jouer. Il se roule à terre, mordille les petites mains. L'enfant est content. Soudain le chat a peur. L'enfant veut saisir le chat, ses doigts glissent dans le poil. L'enfant tire sur la queue. Les dents sont sorties, les moustaches sont écartées, chuintements agressifs. L'enfant frappe le chat, le serre férocement à la gorge et rit de son exploit. Le chat, d'un élan, s'arrache des mains du tortionnaire en donnant de puissants coups de griffes. La combinaison du gamin est déchirée, ses poignets sont lacérés. Il me regarde fièrement. Il a les yeux des hommes de guerre. Il triomphe, exhibe ses blessures. Il est glorieux, arrogant. Je suis son prochain chat. Il examine mon nez et m'interpelle.

— T'es pas beau! Ce que tu peux être laid!

— Pourquoi maltraites-tu le minou?

— Ben non! Je l'ai juste flatté un peu.

Je m'inquiète. Il dit peut-être vrai. Je suis allé au-delà des apparences. Tout à l'heure, je pensais avoir tué un oiseau, maintenant je crois voir un enfant frapper un chat.

— Pourquoi tu dis que je lui ai fait du mal?

Je ne réponds pas. Ne plus parler, m'éloigner au plus vite. Est-ce que l'on voit la violence dans mes yeux? Je me précipite vers la sortie. Retrouver mon appareil. L'enfant court après moi. Ou est-ce moi qui le poursuis? Un cauchemar, ce n'est rien qu'un cauchemar. Je ne me réveille pas. Des oiseaux noirs contre la

vitre, un chat que l'on égorge, un enfant sadique, je
fuis. La liseuse surgit, me barre la route, son ricane-
ment résonne dans les couloirs vides en même temps
que les petits pas d'enfants. Des oiseaux tournent autour
de moi. J'entends leurs battements d'ailes. Laurence !
Je pleure dans ses bras. Devant nous, un enfant et un
gros minou noir, ma tête chavire. J'ai l'affreuse sensa-
tion d'avoir déjà tout vu, tout entendu, d'avoir été déjà
ici, à cet endroit, à cet instant précis et d'avoir éprouvé
la même angoisse.

— Laurence, protège-moi !

— De quoi ?

— Des oiseaux noirs, des chats, des enfants, de la
liseuse...

— De qui ?

— De moi, Laurence !

Au pied d'un figuier poussiéreux, des bambins
jouaient à la guerre, d'autres respiraient une boîte de
cirage. Un vieux fouillait dans une poubelle et ramas-
sait un sandwich moisi. Une fillette offrait ses charmes,
tandis que des adolescents passaient en tenant des
araignées géantes et riaient aux éclats.

— Laurence, cette laideur me fait mal. Les objets,
les gens me manipulent, je vois l'autre face du monde.

Laurence s'esclaffait.

— Laurence ! Tu te moques de moi.

— Non, mais c'est pas possible d'entendre des stu-
pidités pareilles ! Il faut te faire soigner !

— Écoute un peu...

— J'ai pas le temps, tu comprends ? Pas le temps.
T'es drogué ou quoi ?

Ce n'est que dans notre salon que nous retrouvâmes le ton des conversations amicales. Les yeux
pétillants, Laurence s'approcha de moi au son d'une
musique rythmée.

Elle tanguait sur un tempo à ranimer les momies de nos cités endormies et à décrotter les crânes pigeonnés de nos vénérables statues. Nous n'étions plus que secousses, pulsations, vibrations, refrains effrénés, implosion de couleurs, des verts, des rouges, des jaunes vifs, qui disparaissaient en dégradés, en vagues, en miettes d'électricité, en illusions de poèmes, en cris de délivrance.

Laurence alluma la télévision murale et nous brancha sur les chaînes érotiques. Corps nus, mouvements cadencés des bassins, elle éteint les lampes. Restent dans la pénombre la musique et un écran, puis la musique seule et nos respirations haletantes. Galbes des seins dans l'ombre complice, jambes qui luisent, peaux qui glissent. Dans un coin, des plantes vertes nous épient, un cactus s'étonne de notre nudité. Grains de peau, odeurs de femme, parfum de vie, la mer, le sel de sa sueur, je monte, je descends, longue vague de son corps. Je lui murmure des mots sucrés, incompréhensibles, qui pénètrent avec notre souffle chaud.

Elle est heureuse. Puis, soudain, ses yeux s'animent, elle roule, la tête bouge de tous les côtés. Elle tend son corps vers moi, retire son bassin, revient. Ses yeux sont subitement durs, arc tendu, de plus en plus tendu, nous ne sommes qu'un. Nous devrions toujours rester là, au point d'union, à l'instant d'éternité, haut, très haut, au-dessus des vagues où nous éclatons ensemble.

Nos corps retrouvent leur pesanteur. La chaleur encore nous marie. La neige désinvolte s'amuse à nous faire croire que l'hiver n'est que paillettes d'étoiles. La tendresse est en nous, soleil croqué en cachette, volé aux nuages. J'aime l'amour en hiver. C'est tempête, fureur des flocons, désordre des vents, puis douceur, soleil sur les montagnes, neige qui danse à la fenêtre.

Violence et douceur, violence de nouveau, qui s'insinue
en moi, pourquoi, Laurence?

— Ne me laisse pas seul.

— Tu ne peux pas profiter un peu de la vie? T'es
pas drôle, Guillaume!

— Je suis propulsé vers le mal. Au plus fort du
bonheur, je pense à la mort, ombre et lumière sur moi,
toujours. Je me méfie de mes mains, de ma bouche.
Matthieu cherche partout sa liberté, moi je veux étouffer la mienne. Enfermé dans une prison, je serais plus
libre, puisque je serais à l'abri de moi. Chaque fois que
j'atteins une joie, les pires scénarios sortent de mon
cerveau. Est-ce la faute de la liseuse, ou n'a-t-elle fait
que semer dans un jardin propice? Mes tissus cérébraux
l'ont accueillie avec tant de facilité, que je me demande
quel fut son rôle exact dans mon dérèglement. Pourquoi
suis-je ainsi? Dis-moi Laurence.

— Fou! T'es complètement fou!

— Les choses me sont hostiles. Je dois me concilier
leurs esprits. La table t'a fait mal, tape sur la table, la
vilaine! Pas gentille la table, hein! Si la table se vengeait?
Si l'horloge racontait ce qu'elle a entendu de saloperies
depuis qu'elle est horloge? Si les plantes parlaient, depuis
le temps que l'on s'adresse aux plantes et aux chiens.
Le chat, lui, il s'en fout. Il voit tout, mais ne dit rien,
parce que s'il s'exprimait... Non! Les bêtes, les objets,
nous apprivoisent. Trouver ma place, je n'en suis plus
capable.

— Marabouté! Marabouté! À quand remonte ta
névrose?

— Ma rencontre avec la liseuse.

— Je ne crois pas.

— Hein?

— J'ai l'impression que tu es ainsi depuis longtemps.
La liseuse n'a que puisé en toi. Tu deviens l'objet des

objets, on soigne des cas comme le tien de différentes façons. J'en ai une à te proposer... Tu devrais te faire démarabouter, Guillaume ! Tu devrais rencontrer Süleyman !

Laurence parlait d'un air détaché. Par déformation professionnelle, elle oubliait nos liens pour, du haut de sa compétence, me plaquer l'étiquette de malade et, froidement, m'enrégimenter dans la masse de ses « clients ». Elle ouvrit de nouveau la télévision. Elle me laissait dans le flou, me jugeant peut-être trop ignare, ou estimant qu'elle en avait assez dit et que l'on ne discute pas avec les malades, qui, de toute façon, ne comprennent rien. Dans son silence je lisais : « Prends tes pilules et ferme-toi ! Tu n'es rien qu'un stupide concombre pour avoir attrapé cette saloperie. C'est bien de ta faute. Estime-toi heureux que je te fournisse un diagnostic gratuit : normalement, tu devrais aller à l'hosto te faire examiner. Ne me demande pas plus de détails, tu vois bien que moi aussi je suis crevée. »

Laurence jouait avec une orange et un couteau. La lame capta un instant la lumière. Sexe, couteau, orange, sein, j'imaginais des scènes atroces. Je suais. Je tremblais. Laurence épluchait nonchalamment l'orange. Ses seins pointaient sous sa chemise de coton.

— Le couteau, Laurence, le couteau me fait peur !

Elle rangea, en maugréant, le couteau. Elle se planta devant moi.

— Tu prends une semaine de congé, ordre médical ! Tu vas chez Süleyman !

Je me taisais. Je ne me considérais pas comme malade, perturbé peut-être, mais pas malade.

Laurence, à mon insu, fit les démarches. Malgré mes témoignages de bonne santé, malgré nos longues discussions, nos scènes orageuses, je dus céder. Lorsque notre hélicoptère se posa sur le terrain de stationnement de l'aéroport numéro cinq, je me dis qu'une heure plus tard, je serais assis douillettement dans le salon, regardant la neige tomber. Ce n'est pas du tout ce qui m'advint.

Deuxième partie

# DE SOLEIL ET DE FIÈVRE

# Chapitre IX

## VOYAGE VERS MOI

J'AVAIS cédé aux conseils de Laurence. J'aurais préféré agir comme Matthieu, m'éclipser sans laisser de traces, sans aucun message. Laurence me forçait à voyager vers un monde lointain, vers moi-même. Ma longue migration commença dans un avion hypersonique perché entre Montréal et la côte africaine. Je retrouvais le décor habituel des cabines étroites aux teintes fades, l'odeur de confiné, de café, d'apéros, de cuisines aériennes, de cigarettes et les sourires de commande du personnel.

En bas, loin au-dessous des nuages, s'étend l'océan, au-dessus, loin au-dessus, naviguent des colonies spatiales, des laboratoires, des Nordams plus solides que moi, des pionniers aux épaules larges et aux cerveaux puissants. Je promène les yeux sur la faune qui m'accompagne, j'y reconnais un microcosme attristant de notre pays.

À côté de moi, une dame cajole son chien, un superbe bâtard, la variété monoculaire. Il m'étudie de son unique œil bien ouvert, juste au-dessus de son museau. De temps à autre, un jus descend sur la combinaison de sa maîtresse, la bave pend en stalactite, hésite à couler, enfin se détache et s'étale sur la dame.

— Pensez-vous qu'il va s'habituer à l'Afrique?

Je ne réponds pas. Le chien s'avance. Son museau et ses guirlandes visqueuses entrent dans mon espace. Je deviens méchant.

— Certainement madame, certainement. Ils vont le manger votre toutou! Ah! Ah!

Elle retire son chien.

— Sois pas triste mon Cyclope, sois pas triste, c'est pas vrai.

Devant, un enfant s'ennuie. Je ferme les yeux, je fais semblant de dormir, mais je l'observe. Il joue avec une grosse poignée rouge où est inscrit URGENCE. Il tire de toutes ses forces. Son tuteur n'a rien vu, il écoute un livre dont je peux voir le titre sur la cassette : *L'homme qui allait mourir et qui le savait!* J'arrive, en me tordant le cou, à déchiffrer : Eriam Sorg, 400 000 cassettes vendues en trois jours et quarante minutes! Un agent de bord surgit dans l'allée. Il arrête l'enfant. Le petit frustré lui fait un geste obscène. Le tuteur sourit, il est très fier du rejeton. En arrière, un club en goguette essaie de chanter à l'unisson. Ils portent tous le même insigne sur la poitrine, on peut y lire GROUPE DES HEUREUX VASECTOMISÉS. MEMBRE.

J'allais, enfin, m'endormir, lorsqu'une femme tenta de me persuader d'adhérer au mouvement dont elle faisait partie.

— Nous sommes quelques amies, nous avons nolisé un quart de l'avion. Il suffit de s'inscrire à notre organisme, il se nomme LA JOYEUSE COOPÉRATIVE FUNÉRAIRE INC. Nous faisons des sorties. Nous visitons les autres coopératives funéraires. Ça n'a pas l'air de vous intéresser. Vous savez, une belle crémation, quel spectacle! Ainsi, quand mon mari est décédé....

Je me suis endormi.

Pourquoi, Laurence, m'as-tu envoyé dans cet avion de cinglés? Süleyman, Docteur Süleyman, Süleyman la chance, Süleyman marabout, qui es-tu? Un avion nickelé brille dans le ciel, survole les eaux tropicales, les plages dorées, un cap de latérite, la verdure des jardins. Nous atterrissons sur la piste surchauffée de Dakar-Yoff. L'avion parade devant les grandes vitres miroitantes des aérogares. Des mécaniciens, sans combinaisons thermiques, tournent déjà autour de l'appareil, quelques hélicoptères, au loin, se posent comme des abeilles étincelantes. Les portes de l'appareil s'ouvrent, la moiteur s'engouffre dans la carlingue, chaleur qui sent la terre, les parfums, le bois, l'asphalte, le carburant. L'Afrique est dans l'air qui soudainement m'enveloppe. J'ai peur de ce continent qui me lance ses senteurs chaudes et du pays au fond de moi. J'ai envie de rester cloué au siège, de me river à l'avion qui vient de chez nous, qui est nous, pour qu'il me ramène vers Laurence, vers Matthieu, vers Montréal sous la neige. Je veux hiberner avec ma peine et mes phobies. Je suis le seul passager encore assis. Les autres défilent déjà sur la piste. Les vasectomisés sont entre deux alcools. Le cyclope a vomi sur la bonne dame qui est très déçue du comportement de son chien et du mien. Le gamin montre fièrement le morceau de siège qu'il a réussi à arracher. Son tuteur est encore branché sur son bouquin. Le groupe de la coopérative funéraire est triste, rien de catastrophique ne s'est produit durant la traversée. L'hôtesse me sourit.

— Beau voyage, n'est-ce-pas?

Je sais très bien ce qu'elle veut dire. Si elle lisait comme moi ses pensées ce serait :

— Grouille-toi, vieux paumé. Tu parles d'une équipe de dingues. Grouille, j'ai autre chose à faire. En plus, il faut sourire.

— Soyez le bienvenu en Afrique, monsieur.

La coupée de l'avion, la chaleur, la lumière, Laurence, je n'aurais pas dû t'écouter. Tu me manipules. Toi, Souvenir, que fais-tu pour moi? Matthieu, Laurence, je ne vous reverrai jamais. Le soleil brûle mon cerveau fêlé. Je vais me réveiller dans la grande serre de Montréal, un perroquet décortiquera ses arachides devant moi et Laurence se lancera dans la piscine.

— Monsieur est-il malade?

— Euh...

— Bon séjour monsieur!

# Chapitre X

## AU PIED DU BAOBAB

L A brume se déchire sur les palétuviers, vapeur collante sur la vase grise. Les arbres à échasses s'agrippent à la boue saumâtre. Au loin, une pirogue effleure le fil de l'eau, fuseau d'énergie lancé dans la chaleur. Le soleil surgit parmi des flammèches qui s'étirent entre les branches luisantes. Des volutes montent de la terre en offrande à la lumière. Mille incantations s'élèvent de la forêt, chants des oiseaux, frétillements des insectes, feuilles perlières qui bruissent en secouant leurs gouttes évanescentes. La pirogue sort de l'étuve argentée. L'embarcation s'installe dans le courant. Les hommes, torse nu, pagaient en cadence. Des femmes passent, portant des calebasses sur la tête. Ça sent l'eau fétide du marigot, le lait caillé, le poisson séché. Dans des pagnes aux couleurs vives, des statues mouvantes diffusent les parfums capiteux de l'Arabie.

La jeep bringuebale, saute, hoquette, repart de plus belle vers le nord, sur une tôle ondulée sans fin. Voyage de nuit, des ombres étranges surgissent dans la lumière des phares. Les arbres tordent vers le ciel leur silhouette implorante, la lune joue dans les nuages. Je ne sais quel jour nous sommes ni où nous allons.

Pourquoi sommes-nous partis si au Sud, vers la grande forêt, pour ensuite revenir vers le Nord ? Pourquoi ne pas avoir pris un hélicoptère à Dakar ? Pourquoi Süleyman ne m'a-t-il presque rien dit depuis mon arrivée ? Il rit, puis s'inquiète, fait subitement virer la jeep, quitte la route, joue à cache-cache avec des fantômes. Je dors, me réveille et le manège continue. Nous sommes trois en avant, je ne sais combien en arrière, juchés sur des sacs de riz. Il y a aussi deux poulets chétifs et même un mouton, qui bêle à chaque coup de klaxon. Süleyman m'apprend que nous sommes dans un taxi-jeep « toutes directions » et que nous devons faire ces détours pour éviter les aventuriers, de tous pays, qui trouvent ici le décor de leurs films d'enfants. Il jouent à la guerre, avec des balles en plastique, font sauter des ponts, retiennent des personnes comme otages, exigent des rançons, poussent des cris effrayants.

Quelques heures de route et, enfin, des lampes qui se balancent dans la nuit. La piste devient sinueuse, des cases apparaissent entre les arbres. Un baobab se dresse à l'entrée du village. Malgré l'heure tardive, des hommes palabrent au pied de l'arbre, majestueux pachyderme immuablement enraciné.

Sous la lumière hésitante d'un fanal, un Maure est assis sur le seuil de sa boutique en bois. L'homme ascétique, perdu dans un habit de coton, porte avec noblesse un turban indigo. Le marchand prend un cône de sucre et le brise dans une soucoupe de cuivre. Des reflets perçants tanguent sur ses orbites dilatées. Le thé vert coule, long jet d'or dans la lueur du fanal. Bleu des habits, cuivre de la théière, ombres de la boutique qui semble s'allonger jusqu'au fond de la nuit.

Pas encore remis du décalage horaire, je me suis réveillé avant tout le monde.

Le village dort. Des poules picorent le sable. Bruits de casseroles, de bassines, le pilon résonne en écrasant le mil, une femme frappe des mains en chantonnant. Süleyman salue ses amis. J'aime leurs gestes d'amitié qui englobent l'espace. Les mains se rencontrent dans un bruit sec et se lâchent dans un sourire.

La chaleur monte dans l'aurore. Nous suivons un sentier sablonneux. Nous passons l'auréole des jardins. Nous traversons une savane parsemée d'épineux squelettiques.

Nous avons marché deux heures, au même rythme lent, dans le sable brûlant. Nous approchâmes enfin d'un hameau d'une trentaine de cases. Des enfants nous accueillirent en chantant, heureux de cette visite inattendue. Les poules, effrayées, filaient le long des palissades, le cou tendu, comme dissocié du corps. Quelques femmes vinrent nous dire bonjour. L'une tenait une bassine émaillée, l'autre un enfant sur la hanche, une troisième avait un bébé endormi dans le dos.

Les villageois étaient curieux, étonnés, souriants. Seuls quelques adolescents, qui suivaient une partie de football à la télévision d'un boutiquier, ignorèrent notre venue. Ils se levaient lorsque leurs favoris amorçaient de bons coups, se rasseyaient, dépités, lorsque l'équipe adverse avait le dessus. Les lunettes de soleil à la mode, les écouteurs stéréophoniques fichés au fond des oreilles, une boisson gazeuse à la main, ils ne voyaient ni les poules qui fuyaient devant nous, ni le cortège des femmes qui s'en allaient chercher l'eau au marigot.

Une fillette faisait cuire du manioc sur un four solaire. Les longues feuilles d'eucalyptus luisaient sur le sol, répandant un parfum rafraîchissant. Quelques pas plus loin, un groupe était en prière. Les hommes se prosternaient, s'agenouillaient et recommençaient. Des

chiens en maraude circulaient, indifférents aux mouvements de leurs maîtres. Une radio répandait un chant
lancinant, une longue plainte venue d'au-delà du pays
des sables. Les vieux écoutaient, en rêvant de pèlerinage.
Süleyman se dirigea vers une placette ombragée. Sous
un baobab, une dizaine de personnes étaient assises
autour d'un vieillard. Süleyman le salua et tous les
autres, un par un. Je fis de même. Une femme nous
apporta de l'eau presque fraîche, nous bûmes à faibles
gorgées. Le regard du vieil homme était limpide.
Süleyman prit ma main et la mit dans celle du vieillard.
Ses doigts glissaient entre les miens, sa peau usée ressemblait à celle d'un serpent. Il scrutait mes réactions.
Il me tenait en son pouvoir, je me rebellais, mais ne fis
pas le moindre geste pour lui manifester mon sentiment.

— Je ne suis pas un sorcier. On prétend que je
suis un sage. Des années et des voyages, j'ai retiré un
peu d'expérience. De la vie, je n'en sais pas beaucoup
plus qu'un enfant. N'attends rien de moi que je ne
puisse donner. Les docteurs des grandes cités peuvent
guérir les maladies des hommes, je ne fais que soigner
les plaies superficielles, avec les herbes de nos champs.
Pour les blessures de l'âme, Dieu nous aide à en guérir
quelques-unes. Dis-nous ta peine. Nous t'écoutons.

Le vieillard ponctuait d'une pause chacune de ses
phrases, comme s'il voulait indiquer le poids de chaque
mot.

L'assemblée se tourna vers moi. Ma gorge était
nouée.

Le vieillard laissa le sable caresser ses doigts cuivrés.

— Viendra le temps où tu trouveras les mots.

Il s'est retiré avec noblesse, en relevant son long
boubou de la main droite.

Notre deuxième rencontre eut lieu le lendemain
matin. La journée allait être torride. Aucun souffle de

vent, chaque grain de sable reflétait les rayons brûlants. Les animaux cherchaient l'ombre. Les chiens se déhanchaient, en quête d'un coin à l'abri du soleil et des mouches, qui vrombissaient autour de leur museau. Le vieillard était à sa place habituelle. Il était vêtu de blanc, ce qui, sur sa peau noire, faisait ressortir sa barbiche argentée et la lumière de son sourire. L'ombre était entièrement occupée par la petite assistance qui, sens inné de l'hospitalité ou fascination exercée par le vieillard, ne remarqua pas notre présence. Malgré la pâleur hivernale de ma peau, je passais complètement inaperçu. Nous nous assîmes.

Ainsi que je le craignais, après quelques discussions, vint notre tour. Je dis bien notre, Souvenir, comme si Süleyman était de la partie.

J'avais l'impression de mener l'autre chez le médecin, je feignais d'être un cinéaste, accompagné de son interprète. Je voyais fort bien les effets à tirer de la scène. Gros plan sur le vieux avec son turban, ne pas manquer le jeu des mains dans le sable, saisir quelques regards attentifs ; zoom sur la télévision-bracelet de mon voisin, arrière-plan sur le chien endormi près de la calebasse, la langue pleine de sable et de cailloux, gros plan sur les lunettes et les écouteurs qui pendent au cou de la belle fatou aux bijoux en or. Assortiments disparates d'images, faire couleur locale, cocotiers, palmes, paillotes, enfants, ne rien manquer. Je me sortais du décor. Je ne voulais pas être acteur et surtout pas vedette.

Où est-il donc le secret de ce vieillard ? Quel est le mystère de ce lieu si paisible ? Le temps s'est arrêté parmi ces cases. Ici, rien n'a d'agressivité. L'esprit rayonne à partir de l'enveloppe de chair vieillie, assise au pied d'un arbre séculaire. Psychanalyste, psychologue, sorcier, charlatan, sage, hypnotiseur ? Quelle est sa technique, sa manière, son truc ? Venir de si loin pour

se faire dire ses quatre vérités, quand on a les meilleurs
« psys » du monde chez soi ! J'aurais dû faire comme
Matthieu, aller me réfugier au-delà de la ligne des arbres,
m'enfouir dans un igloo, imperceptible bulle de vie
perdue dans l'immensité polaire.

— Approche...

Les doigts du sage coulent dans ma paume, de
longs doigts noirs dans ma peau rosée, des antennes qui
captent mes tremblements. Il tire sa force de l'arbre,
récepteur de cosmicité. Il extrait son fluide des racines.
Il est le rameau humain, le feuillage charnel qui con-
centre l'énergie de la terre et de l'air. Je vais parler, je
parle, j'en suis sûr. Mes oreilles bourdonnent. Tous
m'écoutent. Le sage me tient dans son filet, un courant
passe de moi à lui et de lui à la terre, jusqu'à la cime
des arbres. Mes phrases s'envolent dans le ciel, plus
haut que les oiseaux de proie qui planent sur le village.

Combien de temps a duré mon discours ? Je sue à
grosses gouttes, une femme distribue de l'eau que nous
puisons dans sa calebasse. Je vois les choses dans une
clarté absolue. Je suis bien. Le vieux reprend son
enseignement. Je ne connais pas son dialecte, mais, en
ce moment, je le comprends. Süleyman ne se soucie
même plus de me traduire ses propos.

— De la vie je ne sais rien, ni de la mort, ni du
mal. Je suis comme une pirogue, sans pilote je ne suis
rien. Les mots n'ont aucun sens quand l'esprit les a
quittés. L'homme emmuré doit s'ouvrir. La parole est
source de paix. La parole est de guerre, puits d'ignominie.
Tu parleras jusqu'à ta délivrance. Délie les mots enfer-
més en toi. Le mauvais a peur de la lumière. Nous pré-
tendons que l'homme est le remède de l'homme, l'homme
est aussi le loup de l'homme. Plus fort que le loup est

l'hyène et au-dessus d'elle il y a la fourmi. La fourmi est plus puissante que les autres, mais elle est mangée à son tour.

Le vieux continuait à moraliser. Maintenant, je perdais la signification de certains de ses propos. Parfois, il récitait, parfois, il psalmodiait, entrait en transe poétique et un flot de mots sortaient en désordre. Puis, il poursuivait d'un ton si calme, qu'il s'insinuait en nous, comme une mélodie.

— On ne vit bien que rattaché au Tout. Pourquoi avez-vous peur? Dieu s'occupe de vous.

Il me fixa avec intensité et m'ordonna :

— Demain, encore tu viendras, il ajouta sur un ton humble, nous t'écouterons.

# Chapitre XI

## NUIT DE PLEINE LUNE

J'HABITAIS une paillote tout à côté de celle de Süleyman. Malgré les produits, que je vaporisais abondamment autour de moi, les mouches et les moustiques auréolaient ma tête de nuées voraces. Alors que ces insectes dédaignaient les villageois, ma chair nordique leur paraissait un mets de choix et ils n'hésitaient pas à répandre la nouvelle. Une escadrille de sangsues volantes m'accompagnait fidèlement et, la nuit venue, attendait patiemment derrière la moustiquaire de mon lit. Je manquais d'air sous la toile ajourée, mais je me consolais, en voyant les ennemis en faction devant le moindre orifice. Je me sentais fiévreux.

Le matin, je me réveillais couvert de boutons, résultat des attaques sournoises de la multitude ailée. Je buvais une limonade tiède, gardée près de mon lit. Une belle gazelle ornait le verre dépoli, rien qu'à voir la bouteille, on se sentait transporté dans des eaux fraîches. Des enfants lisaient, sur des tablettes de bois, les textes religieux. Ils récitaient avec application, tandis que des poules circulaient parmi eux en picorant. Des femmes s'activaient autour d'un réchaud solaire. Les hommes partaient aux champs, un grand chapeau de paille pyramidal sur la tête.

Les insectes, mon esprit en désordre, les séances avec le vieillard, le décalage horaire, la chaleur, l'indifférence des habitants devant notre vision catastrophique du futur, leur joyeuse insouciance, tout semblait vouloir accentuer ma solitude et ma souffrance. Pourtant, je savais qu'il y avait ici beaucoup de réponses à mes questions. Je n'en voulais plus trop à Laurence de m'avoir expédié au fond de la brousse.

Je ne dormais presque plus. J'entendais des bruits insolites. Des lézards jouaient sous le lit, quelques cancrelats faisaient le tour de la bouteille de limonade. Des oiseaux battaient des ailes. Des odeurs de bois humide, de couscous, d'arachides, se mélangeaient aux puissants parfums des fleurs et pénétraient partout. J'apprenais à distinguer ces effluves, mais mon esprit était toujours en alerte. Parfois, la lumière d'une lampe glissait le long des palissades, des ombres se découpaient dans le faisceau et animaient un théâtre inquiétant. Un chien furetait nonchalamment. Sur la terre battue de ma case, grouillait une faune non identifiable. Les autres habitations du village étaient plus confortables et je ne comprenais pas pourquoi je devais ajouter à mes épreuves ce retour à la vie dure. Je délirais dans mon sommeil.

Süleyman s'installa près de moi, sur un lit pliant et, rassuré, soigné, je dormis paisiblement. Süleyman resta une autre nuit avec moi, ma fièvre tombait. Ce soir-là, je m'endormis aussitôt.

Est-ce que je rêvais ? Süleyman respirait bruyamment à ma droite. Ses narines s'entrouvraient à chaque souffle. Ses muscles puissants luisaient dans la pénombre. La nuit était très claire, une nuit de pleine lune. Cauchemar, ou réalité ? Je marchais autour de la case. Des poules, en me voyant, secouèrent leurs ailes, un chien avança son museau sous le rideau d'une case et me surveilla. Un chat me suivit. Un iguane fila dans le potager du voisin, le chat fit un saut en arrière, électrisé par sa vision.

La lune jouait sur le sol, chavirait les perspectives, modelait sans cesse une architecture nouvelle, composée de gris et de verts mouvants. Les objets m'appelaient. Les idées maléfiques, attisées par le décor fantomatique s'emparaient de mon esprit. Le pilon à mil me disait de l'agripper et d'aller frapper le plus faible, l'enfant et la mère qui dormaient dans la case à droite. Le pilon insistait, moi je courais de l'autre côté de la rue, de peur qu'il ne se retrouvât dans mes mains, heureux de me faire commettre sa tragique volonté. Je continuais, suant à grosses gouttes. Une boîte d'allumettes m'ordonnait de mettre le feu à une case. Elle se réjouissait de voir le feu rouge, les hommes qui brûlaient, la chair qui allait cuire, ça puait, les flammes s'élevaient, léchaient les murs, se propagaient avec frénésie d'une case à l'autre. Je courais dans la fumée. J'étouffais. Les chiens aboyaient. Ils détalaient dans tous les sens, les lèvres retroussées et écumantes. Leurs crocs déchiraient ma peau, lacéraient mon ventre. Je roulais dans le sable qui buvait mon sang et leur bave.

Mes pas me guidaient jusqu'aux enfers de mon esprit. Une lame miroitait dans la nuit, un coupe-coupe finement aiguisé m'attendait sous la lune. Il implorait que je le prenne, que je sabre tout sur mon passage. Un chien me suivait. Je me retournai. D'un coup, d'un seul, la tête vola dans le sable. Le sang jaillit sur moi, mais les yeux du chien me fixaient, les yeux vivants d'un mort, ceux de la liseuse de pensées. Je marchais encore, un enfant m'espionnait. Soudainement, il m'observa avec tristesse et vint se coller contre moi... Je pleurais. Il s'appuya sur mon épaule.

La lune se perdait derrière les arbres. Un chien hurlait à la mort. Je marchais, le coupe-coupe à la main, l'enfant, dans les bras. J'étendis l'enfant sur mon lit, couvrant son corps de mon drap. L'enfant s'endormit. Était-il mort? La bouteille de limonade vira sur le sol. Elle me criait : « Achève-le! Achève-le! » C'était plus fort que moi. La lune fuyait pour ne pas voir l'horreur qui allait se répandre sur le village.

Je me réveillai en sursaut. Süleyman souriait, l'ivoire de ses dents scintillait. Il me tendit la bouteille avec la belle gazelle.

— Ne dis plus rien, Guillaume. Les paroles du sage agissent en toi. Dors, le mal s'en va, le mal s'en va, s'en va le mal...

Les yeux de Süleyman dansaient, belles billes brillantes qui roulaient. Des bribes de cauchemar affluaient en désordre dans ma tête. J'avais besoin de quelque chose de reposant, de familier. Il me fallait trouver un abri, loin du marais hideux qui montait en moi. Nous décidâmes de sortir de la case.

Süleyman et moi marchions dans la nuit. L'unique boutique du village était éclairée par une lampe à pétrole dont le verre noirci tamisait la flamme vacillante. Nous entrâmes. De gros pains de sucre, dans un papier bleu, garnissaient les étagères les plus hautes. Il y avait de tout, bouteilles d'huile à l'étiquette grasse, boîtes d'allumettes, bidons de pétrole, clous, sauce tomate en petites boîtes rouges et cuivrées. J'admirais les rangées de conserves de lait, avec leur étiquette de printemps suisse, le nid, les oiseaux gravés au milieu de chaque boîte de neige nourricière. Le Maure s'accroupit, cassa le sucre à l'aide d'un petit marteau. Il mâchonnait un bout de sathion qui faisait reluire l'émail de ses dents. Sur le comptoir, à côté de la grosse balance aux plateaux de cuivre, des noix de kola traînaient dans une assiette.

Assis autour du Maure, en silence, nous bûmes le thé dans de petits verres élancés. Le réfrigérateur à pétrole toussait, râlait, puis se taisait en soupirant. Des sacs de jute occupaient la moitié de l'échoppe qui sentait l'huile d'arachide, le thé, le pétrole et le tabac que le Maure fumait dans une minuscule pipe métallique. Des cancrelats couraient sur de vieux journaux, un chat jouait avec un fuseau de feuilles de kinkéliba. La majesté du Maure, la noblesse de ses mouvements dans son boubou ample, la douceur du tabac, le thé qui irriguait ma poitrine, m'entraînaient à la somnolence dans l'aube naissante. Le regard du Maure, parfois, disparaissait dans des volutes de fumée qui s'accrochaient à son turban, avant de s'effilocher vers la lampe-tempête. La boutique était un lieu de rêve, il n'y avait qu'à laisser voguer ses pensées parmi les courbes lascives de la fumée.

Dans un coin, une machine à sous se cachait sous un tas de cartons. Comment avait-elle échoué ici où, faute d'électricité, elle n'avait jamais fonctionné ? Je la dégageai de son fatras. En enlevant la poussière, je fus brutalement transporté chez nous. Je replongeais, en un éclair, dans mon univers. Des supermen volaient au-dessus d'un horizon new-yorkais. Je nettoyai davantage la vitre. Sous la poussière surgirent l'immeuble de la Chrysler, l'Empire State, les tours du World Trade Center, les colonnes du Computer Center avec leur façade en nids d'abeilles. La ville se dévoilait sous ma paume, couleurs vives des néons, faisceaux des hélicoptères, lumières des gratte-ciel. New York ! New York ! Je repartais dans la Nordamie avec frénésie.

Je remontais les rues, jusqu'à Central Park. Des hélicoptères sillonnaient le ciel. Des sirènes hurlaient. La chaleur de la rue se mêlait à celle de la boutique, le turban du Maure se reflétait sur l'horizon de Manhattan. Il faisait chaud, comme à New York ou Montréal en été, chaud en pleine nuit, quand l'air humide envahit les grandes cités et reste enfermé dans les vallées de verre.

En ce moment, Laurence réglait le thermostat de sa combinaison, elle devait envier ma liberté, mon corps constamment débarrassé de son enveloppe de rhéostats. Matthieu courait, comme moi, vers une guérison lointaine. Dans nos villes, les sirènes beuglaient l'urgence de vivre, de mourir, de soigner, d'arrêter, criaient nuit et jour, pour rappeler combien la vie est précaire, dangereuse, infidèle. Ici, tout est calme.

Finie la continuelle introspection, un jour nouveau pointe à l'horizon et je le veux heureux. Verse, verse le thé fort, j'ai soif de vie !

## Chapitre XII

## LE VIN DE PALME

UN aveugle chante dans l'aube. Il écoute son chemin du bout de sa canne. Sa voix claire monte dans la vapeur de la terre. Son sourire me condamne. Il me dit que je suis un enfant gâté. Une poule vient de renverser la gamelle où elle picorait un restant de mil. Des femmes lui donnent des coups de balai. Des jeunes filles s'en vont chercher l'eau. Elles s'alignent, la calebasse sur la tête, statues gracieuses dans la savane vibrante de chaleur. Mon oisiveté me pèse. Mon tourisme thérapeutique est scandaleux.

— Süleyman, j'ai compris, je dégage !

— T'as rien compris, tu restes !

— Je ne crois pas aux simagrées du vieillard.

— T'as la trouille de toi, c'est tout ce que t'as ! T'es rien qu'un lâche...

Les yeux de Süleyman sont sur moi comme des couteaux.

— J'en ai marre, je deviens dingue.

— Mais tu es dingue toubab, tu es dingue !

Le soleil rouge, énorme, éclaire l'horizon. Les palmes des cocotiers languissent dans la lumière mordorée. Des chèvres, grimpées dans les arbres, tirent sur les branches épineuses.

Cinq silhouettes cheminent à travers les hautes herbes. Les mange-mil s'enfuient devant elles dans un vol piailleur. La première forme est petite, on la devine à peine à travers la brume matinale. De la seconde, jusqu'à la cinquième, on reconnaît la même ombre fine, qui se désarticule à chaque pas. Un bâton les relie l'une à l'autre, colonne d'aveugles et de lépreux parmi les tiges sèches. Des boîtes de conserve pendent à leur côté, attachées à une corde usée. Le plus jeune, dans son brouillard, guide les pas. Le plus vieux guide les chants.

Süleyman joue avec une fleur d'hibiscus, il tourne et retourne les doux pétales rouges. Il me jette un coup d'œil et ferme ses paupières sur sa tristesse, sur notre impuissance.

Le sage, comme toujours, était assis au pied de l'arbre. Son regard, fixé très loin à l'horizon, revenait régulièrement se poser sur l'homme qui parlait devant lui. Les yeux du vieillard rejoignaient ensuite une invisible ligne de réflexion, qui se perdait dans la savane. Le sage nous salua. Il s'adressa à moi, d'un ton plutôt ferme.

— Tu trouveras à Dakar les remèdes à tes maux. Les guérisseurs te confieront le gri-gri qui éloignera de toi les pensées qui dévorent ton âme. Tu pourras rencontrer le marabout pharmacien.

— Je ne crois pas en eux.

— En qui crois-tu alors ?

— Peut-être en toi...

— Non, je ne suis rien. On prétend que je suis un sage, or je cherche comme vous. Long est le chemin, courtes sont mes certitudes.

— Si tu n'es pas un sage, un guérisseur, pourquoi sommes-nous ici? Nous perdons tous notre temps.

Ses paupières se fermaient, pour mieux s'imprégner des phrases.

— Tes mots tombent en moi comme cailloux dans l'eau. Ils créent beaucoup de remous. Il faut les laisser descendre jusqu'au fond de mes pensées.

Il y eut un grand calme. Certains baissaient la tête, intimidés par la tension du moment. Quelque chose d'important allait maintenant se produire.

Transe, danse. Je roule, défoule, foule le sable sale. Je tourne. Je mange le sable, le recrache. Mes pieds blessent la terre, la terre me frappe. Des ondes, des ultrachocs me cristallisent. Mon corps est levé, puis plaqué au sol par une main puissante. Le sable monte en fumée autour de moi. Je hurle des choses incompréhensibles. Le quartz crisse sous mes dents. Ma salive me brûle. Mes pleurs m'aveuglent. Les arbres tournoient. Des couteaux, des javelots, des pics, des haches, des jets de sang, des incendies, des brumes fantomatiques, un manège frénétique éclate dans ma tête. Je vomis le sable, humeur putride, nausée de mon cerveau. Mes jambes sautent en l'air, mon corps s'arc-boute. Je vole, m'écrase. La folie s'en va, s'envole, s'affole.

Je respire. Je sens mes muscles durs. Ma vue se purifie, mon cerveau s'éclaire. Je nage dans l'air, je vis, je revis.

La lumière se décomposait et irradiait l'espace. L'air vibrait. Le temps était l'espace. À force de se fragmenter en séquences, il tendait vers l'infini. J'avançais vers la Connaissance, je frôlais l'infini, le point de fusion originelle et ultime, le verbe étoilé, l'élan circulaire, la Force globale, la fin de l'infini. L'esprit lâchait les corps assujettis à leur terrestre pesanteur pour communier avec l'immensité. Le souffle du monde montait jusqu'à la lumière limpide. En bas, dérivant parmi des flots d'humanité, nos petites vies tentaient d'habiter dans nos corps en sursis. J'ai atteint, à cet instant, ton pays, Souvenir, enfin j'étais toi et j'étais tous. C'était là qu'il aurait fallu mourir, pour ne jamais avoir à redescendre dans le poids de la Terre et n'avoir plus jamais à se soumettre à la condition humaine. Après cet apogée, seul le silence pouvait, timidement, nous ramener au pied de l'arbre.

Le sage leva les yeux vers moi.

— Ce qui est dit est dit. Nous avons lu, sur tes mots et entre eux. La pensée, s'habillant de mots, s'enfuit, change et renaît ailleurs. Si elle reste enfermée, elle n'est pas vraiment née. Sortie de toi, elle se charge de chacun de nous. Elle vole autour de l'arbre, du village, part, revient et repart. Quand on la croit morte, elle est là, vivante comme jamais. Chacun d'entre nous est venu dire sa pensée, la préciser, vous, comme moi ; nul ne peut prétendre que la sienne est supérieure à celle de son voisin.

Le sage interrompait son discours pour capter son souffle intérieur.

— Je ne sais à quoi servira ton voyage jusqu'à nous. Faut-il que tout serve à tout ? L'acte gratuit n'est-il pas empreint d'une divine beauté ? Tu prétends que nous perdons notre temps, mais est-il nôtre et qu'est-ce que le temps ? N'est-il pas toujours perdu ? Où commence-t-il, où finit-il ? N'est-ce pas une grande roue, un cercle, une voûte, comme les étoiles qui passent et repassent ? De la Terre à la Terre, c'est le temps de l'homme. De la vie à la vie, jusqu'au bout du temps de l'homme, qui n'est pas encore le bout du temps.

Les phrases forgées, par ses lèvres gercées, se martelaient en moi.

— Respecter la vie en soi, autour de soi, par l'intelligence, l'esprit, s'élever au-dessus des forces nauséabondes, voilà le chemin d'amour.

Il fait une chaleur presque maternelle. Le soleil est haut dans le ciel.

Süleyman me tend la main. J'ouvre mes bras en riant.

— Ma parole du Bon Dieu, qu'est-ce qui t'arrive?

— Les choses ne sont plus pareilles... La Force est en moi, Süleyman, la Force du Bien! J'en suis certain!

Il n'eut aucune difficulté à me hisser et à me faire tourner au-dessus du groupe.

Les femmes et les enfants chantaient. Je voyais le monde à l'envers, puis à l'endroit, le toit des cases, puis le sol. J'avais du sable dans la bouche, les oreilles, et le carrousel africain continuait!

Quand, dans mon vertige, je suis redescendu sur terre, je remarquai une couronne de sueur sur le front de Süleyman. Ses muscles saillants étaient couverts de perles sablées.

— Ce soir on fête, on fête! Petit toubab des neiges!

— Aujourd'hui je revis! J'ai soif, je veux toucher, prendre, caresser, donner, aimer! Süleyman j'aime la VIE!

Nous sommes allés en jeep au bourg voisin, à une heure de route du village. J'observais les palmiers, les niayes verdoyantes. Des enfants écartaient les chèvres de la piste et nous saluaient amicalement. Je souriais comme le malade qui sort de l'hôpital après un très long séjour. Süleyman avait allumé la radio, nous foncions, cahotant sur la tôle ondulée. Nous chantions en complète discordance et euphorie.

— Le silence, c'est peut-être l'éternité, mais la musique c'est bon ! affirmait Süleyman sur le chemin du retour.

Nous avions acheté un mouton, du riz, du poisson, du mil, des boîtes de sauce tomate, des légumes, des patates douces, des gombos, des oignons, des bananes plantains et tant de choses dont je ne me souviens plus. Les enfants couraient autour de nous. Les petites filles relevaient pudiquement leurs robes en dansant. Je les accompagnai par quelques mouvements de mon postérieur. Tout le monde éclata de rire. J'étais, de nouveau, un clown heureux. Je jonglais avec les fruits. Les garçons transformaient n'importe quelle calebasse, ou boîte, en tam-tam. La fête débuta.

Le vin de palme commença à circuler. Je sentis vite ses effets. Le sage était au milieu des siens. Nous le saluâmes respectueusement. Il nous fit asseoir près de lui. Nous partageâmes les danses, les chants et le repas à ses côtés. Alors que j'observais attentivement ces scènes de bonheur, Süleyman se pencha vers moi.

— Tu as l'air songeur. Tes problèmes reviennent ?

— Ils cherchent...

Un voile passa sur son visage. Et si tout était à reprendre à zéro, si je n'étais pas plus avancé, pas plus guéri ?

— La boue ne remonte pas du marigot, elle s'y enfonce.

— Alors ?

— Eh bien, Guillaume, il faut avancer ! En arrière, c'est loin, en avant il fait beau. Pour le présent, c'est à toi de décider. Le bonheur est aussi une affaire de volonté.

— Il fait très beau, Süleyman. Je suis guéri, je le veux !

— Ce qui est dit est dit !

Le sage me regarda longuement, puis, en souriant me murmura :

— La force du bien est en toi.

Je me remémorais les jours passés en compagnie de Süleyman. Je mesurais le chemin parcouru. Je savais la fragilité de ma conquête, j'en appréciais d'autant plus le prix. Le vin de palme, au son des tam-tams, apprivoisait la nuit.

Vint le temps du départ. Je découvrais, soudainement, l'attachement des villageois. Ils avaient participé à ma vie. J'étais étonné de connaître chacun et chacune, alors que j'avais l'impression d'être à peine arrivé. Au moment où j'aurais pu profiter de ces amitiés, je devais m'en séparer.

— Ta guérison nous fait du bien ! affirmait Süleyman.

Une dernière fois, je saluai le sage. Il mit sa main sur son cœur.

— Le mal est sorti de toi, il a buté contre l'arbre. Le baobab est signe d'éternité. Toujours les mêmes lettres qui se répètent à l'infini, baobaobaobao... Je n'ai fait que t'écouter et refléter ta pensée. Je n'étais que miroir. Loue maintenant ton Dieu qui est Amour et qui est le même pour tous. AIME, Guillaume. Dieu est grand !

Souvenir, tu chantes en moi. Pendant le vol du retour, l'esprit de Süleyman me protège. Süleyman, le sage, le village, la nostalgie me tenaille, le séjour était trop court. J'aurais aimé rester encore, alors qu'à peine arrivé je voulais repartir. J'ai vécu sur une autre planète, en orbite ailleurs, lointaine et si proche. Tout ce voyage pour aller vers moi. L'avion survole des nuages bourgeonnants. Entre deux trouées, apparaît, déjà, un pays couvert de neige. L'hôtesse m'apporte un message. Pourvu qu'il ne soit rien arrivé de grave à Laurence ou à Matthieu.

Troisième partie

# DE NEIGE ET DE VENT

# Chapitre XIII

## URGENCE TENDRESSE

DE Laurence à Guillaume.
Je te souhaite un bon retour chez nous.
Süleyman vient de me raconter ton séjour, j'ai hâte de
te revoir. Ne tarde pas. Je n'ai toujours aucune nouvelle de Matthieu, cela m'inquiète. J'ai beaucoup pensé
à nous trois, pendant votre absence.

Je n'appelle pas ce qui nous unit, jusqu'à présent,
du nom d'amour, tout au plus est-ce « une vague
amitié », un intérêt commun de cohabitants, un besoin
réciproque de compagnie ou de sexualité épisodique.
Être si en avance techniquement et être si en retard
dans l'amour, l'amitié, le respect, le partage.

Il y a des jours où je vous déteste, à cause de votre
façon de me dévisager. De la tendresse, de la douceur,
il y a urgence ! Que m'importe le pays en déliquescence,
que m'importe le pays qui s'écroule, moi, je ne suis pas
en amour.

Guillaume, ne cherche plus en moi la mère ou la
sœur que tu n'as pas eues. Je ne suis pas un service
public pour collégiens attardés. Je suis Laurence.

Femme toujours en lutte, même avec vous et pour vous prouver quoi? Ce que vous devriez savoir depuis toujours. Que je suis votre égale, mais différente. Femme, première victime du racisme, débat d'un autre âge, je suis écœurée, mais vous ne comprenez encore rien! Je ne suis pas une militante, je suis une insurgée, une solitaire indignée que l'on confonde encore ovaire et ouvert, femme et fragile, fragile et facile, femme et mère ou sœur, femme et cul ou seins et tout et tout! Arrêtez de venir vous pavaner, vous vanter, vous vautrer! Aimer, aimer, savez-vous ce que cela veut dire?

Matthieu, parle-moi d'égal à égal. Oublie ta force, ta puissance, ne m'impose ni tes gestes, ni tes idées. Ne vois-tu pas que, moi aussi, je suis forte et que j'ai une logique qui vaut bien la tienne!

Moi aussi, je me bats, je souffre, je lutte, je secoue le monde. Je suis douceur, tendresse, volonté, courage, faiblesse, pleurs et rires, je suis comme vous.

Souvent, je quitte la salle d'opération en tremblant, au bord des larmes, en colère ou en souriant, parce que c'est gagné ou perdu. Le sort des malades me concerne, je guéris ou meurs avec eux. Je ne suis pas la femme insensible que vous imaginez. Tant de questions me dépassent, tant de peine me touche.

Mes mots vous donneront une vague idée de ma personnalité, que moi-même j'ai du mal à cerner. Nos vies resteront-elles toujours parallèles, nos rencontres ne seront-elles que charnelles? Dois-je, absolument, vous crier qui je suis, pour qu'enfin vous me respectiez? D'autres femmes parlent à travers moi, depuis si longtemps, mais si peu d'hommes nous entendent!

Vous êtes aussi femmes en dedans, que je suis homme. Pourquoi effacer l'autre qui est en vous? Attention! Fragile! Laurence vous attend au carrefour des idées, des sentiments, pas seulement des corps.

N'allons pas trop vite, l'amitié s'enrichit du temps et des paroles. Romantique moi? Oui, peut-être, pourquoi pas?

Sommes-nous si loin les uns des autres, que je doive faire un tel plaidoyer? Vous auriez pu me dire à peu près la même chose, à votre manière, en remplaçant le mot homme par celui de femme.

Vies parallèles, de solitude, je n'en veux plus, faites dériver vos trajectoires sur les lignes de l'amitié.

Ne voyageons plus aux antipodes, approchons-nous, la tempête gronde, le vent est mauvais. Le temps est venu de se connaître.

Pour vos mères, que vous n'avez pas connues, vos sœurs et amies que vous n'avez pas aimées, vos compagnes que vous avez ignorées, pour elles, je devais parler.

Dites aux autres ce qu'ils devraient savoir depuis toujours, l'amour n'est pas domination.

Je vous aime.

Laurence.


Champs immenses, forêts sombres, l'avion se pose. La neige glisse sur le fuselage. Température extérieure : moins trente. Les passagers se penchent vers les hublots. Nostalgie d'Afrique, la chaleur est partie, loin, si vite trop loin. Les flocons volent dans le sillage des réacteurs. Les yeux de Süleyman me sourient. Le cœur me cogne.

# Chapitre XIV

# GRONDEMENT

## MARS

Nous avons beau diffuser des ions toniques dans le module, on dirait que l'air nous maintient tendus. Les murs réfléchissent-ils des ondes qui nous transpercent ? Pourtant, en ce début de mars, le ciel est limpide, le soleil brille à travers l'air froid. Selon certains, la tension électrique provoquerait notre état, mais nos diffuseurs, à l'intérieur de nos modules, rétablissent l'équilibre et nos compteurs montrent des chiffres de confort normal. Pour d'autres, c'est à la radioactivité ambiante, séquelle des anciens conflits, qu'il faut attribuer la fébrilité qui s'empare de nous.

Chacun se convainc que les pires prédictions vont se réaliser. Nul ne serait surpris que des anges jouent de la trompette, que la terre et le ciel soient ébranlés. Déjà un grondement monte des profondeurs. La Nordamie fonctionne, les robots robotent, mais l'homme interroge l'avenir avec angoisse.

Ce mois commença par une vague de suicides. Chaque jour, les hélicoptères de la morgue transportèrent les cadavres. Heureusement, le gouvernement est intervenu, les suicides ont été logiquement expliqués, la panique fut administrativement enrayée. Il s'agissait, nous a-t-on dit, de la combinaison néfaste de la lune et des explosions solaires. Le gouvernement décréta l'interdiction des suicides, assortie de peines graves pour les occupants du module où le suicide s'était produit : suppression des avantages collectifs, hélicoptères, accès aux serres, saunas, érothèques, entassement dans les appartements... Des doses massives de vitamines furent distribuées à la population, avec obligation de les absorber aux comptoirs médicaux répartis à travers le pays. Nous avons, désormais, dans nos boissons, une étrange chimie, qui est supposée nous redonner l'énergie vitale.

Nous sommes toujours sans nouvelles de Matthieu. A-t-il succombé à l'épidémie de suicides ? On raconte que, quelque part dans le sud de la Nordamie, des centaines de personnes se sont enlevé la vie durant une cérémonie pseudo-religieuse. Je comprends, maintenant, que Matthieu puisse chercher une force capable de renverser ce courant destructeur. Aujourd'hui, je suis d'accord avec lui, la Nordamie est un pays désorienté. Les Nordams ne voient pas que le ciel s'est dégagé, que la neige est de nouveau blanche. Ils ne retiennent du présent que ce qui peut alimenter leur épouvante.

Outre la vague de suicides, que le gouvernement réussit à contrôler (la morgue serait-elle plus discrète, les autorités ont-elles maquillé les hélicoptères corbillards en aéronefs ordinaires ?), nous fûmes les victimes de nouvelles calamités.

Nombre de Montréalais furent terrorisés par des créatures mi-animales, mi-humaines, qui firent frémir plus d'un noctambule attardé dans nos immenses garages à hélicoptères. Réalité ou sous-produit de nos cerveaux saturés de films d'horreur, nul ne peut le dire. Certains prétendirent avoir été mordus par des oiseaux vampires à visages humains. De nos jours, on signale partout des animaux et des humains sortis directement des toiles de Jérôme Bosch. Est-on en présence d'un fou, d'un groupe de fous, d'une agression d'une autre nation, ou d'une prolifération de mutants? Est-ce le début d'un autre monde, que l'homme aurait libéré dans le bouillonnement de ses éprouvettes? Nous sommes perplexes, nous devons tant aux généticiens, notre bien-être actuel, notre naissance même, à l'abri des tares héréditaires. Les savants nous protègent, attaquent les virus, les tumeurs, tuent les esprits malins, produisent notre nourriture dans leurs si belles et si hygiéniques usines à protéines, mais les Montréalais croient que, derrière les écrans et les tubes, des démons jouissent de notre frayeur.

Soudainement, puissance de la Nordamie ou hyper-contrôle de l'état, plus rien, du jour au lendemain, ne fut mentionné à ce sujet sur nos télévisions. Les gens essayèrent d'oublier les animaux démoniaques. Il nous en est resté une peur viscérale, que l'on ressent chaque fois que l'on s'aventure dans un couloir obscur, un stationnement mal éclairé, une pièce noire. Un simple bruit, un coup de vent et la panique s'empare de nous. Ordre de l'état, des faunes et autres chèvre-pieds, on ne devait plus parler.

Chaque semaine nous apporta une raison supplémentaire de douter de notre avenir. Ainsi, je me souviens très bien de l'affreuse journée que nous passâmes suspendus à nos postes, croyant que la fin du monde allait s'y inscrire en direct. C'était un lundi de la première semaine de mars, un jour comme les autres. Rien dans le ciel ne paraissait menaçant. Seul un esprit attentif aurait pu noter l'absence de pigeons ou de moineaux, frappés depuis la veille de quelque subite migration.

Vers onze heures, le grondement qui nous accompagnait épisodiquement, depuis quelques jours, se fit plus continu et plus intense. Il montait de partout, parfois on croyait l'entendre à gauche et, quelques secondes après, on le percevait nettement à droite. On aurait dit une force poussée par un gigantesque marteau. Quelque chose voulait se frayer un passage à travers l'écorce terrestre. Des murs se fissurèrent, quelques vitres éclatèrent.

De notre salon, j'entendis les voisins crier, en se bousculant vers les escaliers de secours. Les vibrations durèrent une vingtaine de secondes, qui me parurent des heures. Nos systèmes électroniques s'arrêtèrent. Mon ordinateur, auquel je dictais ce texte, s'éteignit. L'électricité faiblit, puis disparut. Les veilleuses de sécurité se mirent en marche. La ventilation ne fonctionnait plus. Nous nous sommes tout à coup retrouvés sans le bruit de fond qui, constamment, nous accompagne. J'eus l'impression que l'on m'arrachait deux bouchons de cire des oreilles. Bizarrement, après un dernier râle, le bruit cessa. Chacun regagna son domicile. Dans le télégarde, je voyais les résidents retourner chez eux avec des mines inquiètes. Les portes de bien des modules restèrent ouvertes. On se parlait, se félicitait d'être toujours en vie. Je me joignis aux personnes de notre palier. Comme dans un marché de fous, chacun exorcisait ses peurs et ne prêtait nullement attention aux propos de l'autre. Peu à peu, les gens se retirèrent dans leurs modules et s'assirent devant leur télévision. Le calme revenait. Les autorités en profitèrent pour nous rassurer. Elles prétendirent que des opérations de nettoyage étaient actuellement en cours dans les voûtes de l'ancien métro, que des charges explosives avaient engendré « une séismicité ambiante anormale ». Tout était « sous contrôle ». L'électricité allait être rétablie sous peu. Vers midi, le grondement reprit. Les objets valsaient. La panique devint générale. On criait dans le couloir, on se heurtait en transportant des choses inutiles. L'un serrait un oreiller, l'autre trois bouteilles de champagne, une femme tenait un aquarium dans ses mains tremblantes, quelqu'un se moqua d'elle, elle gémissait et le poisson sautait avec les vagues. Un perroquet s'échappa d'un module en répétant : « Bravo ! Bravo ! ». Il alla se percher sur la lampe de sécurité. Le plancher commença à osciller. J'essayai, vainement, de fermer la porte. J'allumai ma télévision-bracelet et restai fixé sur mon écran.

Près du vieux cimetière, à quelques mètres du campus de l'université, un geyser sortait en trombe. La neige fondait instantanément. Des hélicoptères fuyaient les vapeurs sulfureuses et les pierres fusant comme des balles. Certains d'entre eux furent aspirés par le tourbillon de la corolle fumante et pulvérisés en quelques secondes. Parfois, des corps étaient éjectés des engins et soulevés au-dessus des gratte-ciel. La vapeur faisait bouillir les arbres, tels de vulgaires légumes.

À deux heures de l'après-midi, nous reçûmes les premiers ordres d'évacuation ; déjà beaucoup d'immeubles présentaient des lézardes dangereuses. Les gaz pénétraient partout, brûlaient la gorge. La confusion devint extrême. L'air était opaque, les couloirs aériens très encombrés. Tandis que les gens se pressaient, le geyser disparut dans un ultime spasme.

Aussitôt, de pseudo-géologues nous expliquèrent qu'ils avaient tout prévu, que tout était normal. Ils employèrent des mots dont personne ne saisit la signification. Chacun put regagner son chez-soi, comme si rien ne s'était passé. Quelques jours plus tard, on nettoya les immeubles, reboucha les fissures. De nouveaux modules furent installés sur les amas de tôle et de plastique fondu. On reboisa avec des bouleaux et des érables aussi hauts que les précédents. Restaient les images d'horreur, mais je fus stupéfait par notre capacité de digestion. Seule la nouveauté nous intéresse, pas longtemps, nos télémanipulateurs le savent très bien. Ces derniers sont cependant surpris par la tragédie que chaque jour nous écrivons et par notre aptitude à créer des scènes dramatiques ne laissant aucune place au rire. Jamais hiver ne fut aussi éprouvant pour les clowns. Nous devenions tous acteurs.

# Chapitre XV

## VENTS ET FORÊTS

NOUS avons pris l'habitude, Laurence et moi, de sortir de Montréal. Nous faisons de longues promenades. Hier, nous nous sommes baladés au nord de la ville. Sous notre hélicoptère, une vaste région miroitait au soleil. D'innombrables lacs, ceinturés d'arbres, atténuaient la rudesse de l'immense plateau qui s'étend vers le nord. Par instants, la roche exposée au vent affleurait, compacte et rugueuse. Les rivières serpentaient en lacets de neige à travers les collines boisées. Au-dessus de quelques chutes, une fine vapeur montait en se cristallisant au soleil. Nous avions pris la direction du Nord, sachant que Matthieu aimait cette contrée où abondent gibier et poissons, pensant qu'avec beaucoup de chance, nous pourrions peut-être le retrouver.

« Sur la banquise, aimait-il dire, le blanc et le bleu du ciel se confondent, ligne lointaine, qui entraîne ton regard jusqu'au bout du monde, au bout de toi-même. Le moindre animal, la moindre dénivellation, peuvent être observés de très loin. Ici, dans le Sud, tout est cloisonné. Les tours de bureaux accrochent tes yeux, le paysage est haché de lignes verticales et horizontales d'une monotone régularité. Les plans verticaux rassurent, il n'y a pas de menaces à l'horizon, l'horizon n'existe pas. Dans le Nord, tu es seul, entre ciel et banquise. La solitude te fait apprécier autrui, tu le découvres comme un bien précieux, un compagnon de luttes à mener contre le froid, le vent, la neige, la nuit sans fin. L'autre t'est indispensable. Dans le Sud, il y a trop d'autres. Tous se ressemblent, mais tu ne peux t'attarder à la valeur de chacun. Tu ne les vois plus, eux non plus ne te voient pas. »

Matthieu pouvait parler durant des heures de ces terres de glace et de vent. Nous étions au-dessus d'une région où les feuillus, de plus en plus rares, se mêlent encore aux conifères, lorsque Laurence reçut l'appel d'un module récréatif, posé à proximité d'une cascade. Les occupants nous invitaient à une session de médita-tion. Nous déclinâmes l'offre de l'ashram ambulant, pour concentrer notre recherche sur Matthieu. Sans cesse le même paysage défilait. Suspendus comme une libellule au-dessus de la forêt, nous poursuivîmes notre route jusqu'aux derniers rayons du soleil. L'ombre des conifères s'avançait de plus en plus longue au milieu des lacs. Nous décidâmes d'atterrir sur ce qui avait l'air d'être une plage couverte de neige. En mars, même dans les contrées septentrionales, il faut se méfier, un redoux suffit à rendre la glace fragile ; nous obliquâmes vers une clairière qui s'ouvrait sur la droite.

En sortant de l'hélicoptère, nous vîmes un amon-cellement de billots et, sur la gauche, un hangar désert. On pouvait reconnaître, enfouis sous la neige, les plots d'amarrage des dirigeables qui, il y a quelques mois encore, transportaient le bois vers les usines du Sud. Des outils traînaient pêle-mêle dans le hangar, scies, chariots élagueurs, chaînes, casques protecteurs et autres objets que je ne parvenais pas à identifier. Les ouvriers avaient abandonné les coupes, laissant les montagnes lacérées de puissants coups de griffe. Nous nous rendîmes sur le lac. La glace était épaisse. Le vent balayait la neige.

Laurence souriait au jeu du vent. Derrière chaque obstacle, se formait une petite dune ondulante. Sous nos pieds, la glace claire retenait des bulles d'air. Le dessin des cassures, le brillant des profondeurs, nous fascinaient. Nos esprits vagabondaient au milieu des formes vitreuses, des galaxies, systèmes solaires, comètes, qui surgissaient dans ce kaléidoscope naturel.

— Je comprends maintenant Matthieu lorsqu'il parle de liberté, lorsqu'il chante le Nord, déclara Laurence.

La glace, par endroits, se fendait sous nos pas, un bruit sourd se transmettait alors à toute la masse, en nous donnant un petit frisson d'inquiétude. De grandes échancrures se formaient et se ramifiaient dans un réseau complexe de lignes brisées. Laurence parlait d'une voix douce. Sa combinaison thermique se détachait en bleu, sur l'écran de verre ourlé de neige filante. Je ne pus me retenir, je plaquai un baiser sur ses joues rougeaudes. Nous regagnâmes la rive.

Nous avions laissé l'oppression de la ville bien en arrière. Le vent secouait les cimes. Des arbres craquaient dans un bruit sec. Les branches, chargées de neige, se relevaient lentement au vent qui les allégeait de leur fardeau. Les pins et les sapins ployaient sous la blancheur et s'ébouriffaient chacun son tour, en lâchant sur nous une multitude de paillettes argentées.

Notre système d'alarme émit un bip ! bip ! bruyant. Laurence interrompit la sonnerie. L'annonceur de service surgit sur nos écrans de poignet. La Nordamie entière, en même temps que nous, observait un homme qui semblait détenir entre ses lèvres notre avenir.

— Laurence, ses mains tremblent !

Aussitôt, on cadra l'image sur le visage.

— Bizarre. Il doit pourtant être sous calmant. La régie a fait une sacrée erreur. Il y a du congédiement dans l'air en haut lieu. Son tremblement m'inquiète. La nouvelle est trop récente, le cachet n'a pas eu le temps de faire effet. Laurence, Laurence, qu'est-ce que tu as ? Voyons réponds ! Asseyons-nous, ouvre un peu ta combinaison. Baisse ton thermostat. Respire, dégage tes poumons !

L'annonceur commença son discours sur un ton saccadé.

« Citoyens de toutes les régions, le bureau central de la santé tient à porter à votre attention le message suivant.

Il y eut une très courte pause. Laurence en comprit la raison. Elle avala, comme des millions de Nordams, un comprimé antidépressif. Je m'en abstins. L'annonceur restait muet, nous fixant sans expression. Il continua d'une voix dure :

« Le bureau de la santé invite la population à mettre nos énergies en commun pour lutter contre l'épidémie qui vient de se déclarer en différents points du pays. Il s'agit d'une mycose déformante. Nous demandons aux citoyens d'isoler immédiatement les malades et de les conduire aux services de santé. Les symptômes sont faciles à reconnaître. Des plaques rougeâtres se développent, d'abord aux commissures des lèvres, ensuite dans les plis cutanés. Le deuxième stade de la maladie consiste en l'apparition de zones purulentes, de la chute des cheveux, par touffes, suivie de la disparition complète du système pileux. Pour l'instant, aucun cas fatal n'a été enregistré, il n'y a pas lieu de s'alarmer. Des mesures d'hygiène vous seront communiquées dans les prochains bulletins. »

L'annonceur disparut de l'écran, laissant la place aux programmes habituels, qui parurent complètement anachroniques, étant donné la nouvelle réalité. Nous éteignîmes nos appareils. Laurence était aussi abasourdie que moi. Je l'observai sans dire un mot. Sa longue chevelure était enfermée sous sa combinaison thermique ; elle libéra ses cheveux, tout en éprouvant leur résistance, ce qui la rassura.

Elle répétait presque inconsciemment « mycose déformante, mycose déformante ». Je sortis un miroir de poche et m'examinai les lèvres. Refroidis par le vent, nos visages semblaient en pleine santé. Laurence prit le miroir, une ombre d'inquiétude glissa sur ses yeux.

— Regarde Guillaume, regarde !

Devant nous, un oiseau pianotait sur un arbre en décomposition. Les pattes bien agrippées, il y allait de son attaque vigoureuse. Son bec travaillait le bois avec acharnement. Il s'arrêtait et scrutait l'écorce en penchant la tête de côté, guettant la venue d'un insecte. Laurence me fit observer sa gracieuse couronne rouge, sa queue blanche et noire sur laquelle il s'appuyait.

— La femelle n'a pas de rouge, seul le mâle est couronné, c'est un pic chevelu.

L'oiseau partit d'arbre en arbre d'un vol ondulé.

— Je pourrais te parler durant des heures des oiseaux, de leurs mœurs ou de leurs nids. À l'école, nous avions des exercices d'identification. Les dessins, les photographies qui apparaissaient sur nos écrans étaient très beaux. Nous savions même reconnaître le chant des oiseaux.

Nous regagnâmes l'hélicoptère. Laurence était songeuse. Je gardais en moi l'image du pic voyageant d'arbre en arbre. Était-il plus libre que nous? Je pensais à Matthieu, que faisait-il? Que pensait-il?

Nous dégageâmes la cabine couverte de neige et reprîmes la direction de Montréal. Je revis les lacs, les rivières, les forêts figées. Les reflets d'un cristal de glace m'attiraient vers le calme, la lucidité. La ville, qui crénelait maintenant l'horizon, pourrait-elle protéger longtemps notre fragile tranquillité?

Après ces quelques heures de vents et de forêts nous arrivâmes dans une cité livrée aux charlatans.

# Chapitre XVI

## AU PAYS DES CHARLATANS

### DERNIÈRE SEMAINE DE MARS

L A maladie ne se cache pas, non, elle dévore le visage, s'étale sur les lèvres, autour des yeux, dans les cheveux. Le gouvernement vient d'interdire toute déclaration au sujet de la mycose déformante. La maladie s'est-elle retirée, en obéissant à un arrêté de la Présidence collégiale ? De mes fenêtres je vois, sinistre démenti, la fumée monter des cheminées du crématorium municipal.

Laurence se réfugie dans les calmants, d'autres dans les prières. Des sectes farfelues recrutent sans difficultés les esprits en errance. Qu'un inconnu se rase le crâne, s'habille d'une toge aux couleurs fades, qu'il prononce quelques versets ésotériques et l'on accourt vers lui. Les réseaux de télévision nous abreuvent de spectacles où des foules, en extase, applaudissent des prédicateurs hystériques. Les chœurs reprennent la fin des phrases en hurlant : « Alléluia ! Alléluia ! ».

La Nordamie aseptisée, climatisée, insonorisée, robotisée, s'épanouit dans un bouillon d'irrationalité. Notre pays, presque athée, se lance maintenant dans des pratiques bizarres, cela va de la flagellation collective aux séances de lamentation, d'exorcisme, de transes nocturnes. La Nordamie en déroute afflue chez les charlatans, les diseuses de bonne aventure. Le gouvernement paraît impuissant devant ces petits chefs spirituels qui recrutent facilement les Nordams aveuglés par la peur.

Je ne parviens pas à dissuader Laurence de participer à un groupe, au prosélytisme actif, nommé les fétiches de l'eau (les pyrophiles ont moins de succès dans leur recrutement), il faut adorer l'eau, s'y tremper le plus souvent possible, selon un rite précis, on doit toujours avoir de l'eau à portée de soi et en boire autant que l'on peut. J'espère que Laurence ne finira pas, comme notre voisine, perpétuellement en méditation devant un robinet décoré de rubans multicolores.

Laurence passe beaucoup de temps devant les miroirs à la recherche de la moindre trace de mycose. Sous sa loupe lumineuse, le plus petit bouton se transforme en volcan, la plus timide rougeur s'étale comme un coucher de soleil. Je n'arrive pas à la rassurer, car moi-même je scrute, de temps à autre, discrètement, le coin de mes yeux, de mes lèvres, le tour de mes oreilles, pour vérifier si cette horreur n'a pas sournoisement entamé ses ravages.

Extérieurement, tout est en ordre en cette fin de mars, héliports bien éclairés, centres commerciaux et de loisirs propres, approvisionnement régulier en denrées. C'est de l'intérieur que le pays est miné, chaque jour détruit un peu plus notre volonté, notre goût de vivre. Ainsi, aujourd'hui, une nouvelle secte vient de naître, elle se nomme les « Adorateurs de la Décadence ». Plutôt que de se rebeller, ils pensent qu'il faut se noyer dans le courant destructeur qui nous emporte et même accentuer la vitesse, aller vite au bout, connaître la

fin. Courons, accélérons la Décadence. Vive la fin !
Vive la Décadence ! Ils appliquent les mots d'ordre des
illuminés des années 2000 : polluons les eaux, l'air, les
médicaments, les aliments !

Notre vie tient à la qualité des services de surveillance de l'hygiène publique et aux prouesses de notre
corps médical. Chaque jour amène de nouvelles inter-
dictions : défense de boire l'eau, le lait, de toucher à tel
plat empoisonné par les rebelles. Des brigades survo-
lent les rivières, inspectent les cuisines, les silos, les
abattoirs.

Ces jours-ci, j'ai souvent l'impression, Souvenir,
que je te confie mes derniers mots, que demain une
maladie foudroyante m'aura emporté, comme toi. Le
temps me file entre les doigts. Alors que mon enfance
s'est écoulée à petite vitesse dans le calme de la
Nordamie post-nucléaire, maintenant, bousculé par les
problèmes, le temps s'accélère. Les jours se chevauchent
en désordre. Je ne parviens plus, le soir, à tirer la leçon
du jour ni le matin à me fixer une orientation. Sur la
table, il y a la bouteille cubique et le bonhomme whisky
qui marche de sa grande foulée optimiste. Parfois, il
me fait un clin d'œil. À côté, un gri-gri, dernier cadeau
de Süleyman. Aujourd'hui, je me suis mis de la musique
africaine plein les oreilles, pour cacher cette poisse tenace
de mars finissant.

# Chapitre XVII

## « JE REVIENS VERS VOUS »

### AVRIL

L A vie est compliquée sous nos latitudes. Matthieu est parti, Laurence en chute libre. Il ne reste que toi, Souvenir ! Rien qu'un souvenir dans ma mémoire, mais à qui je peux parler, qui me rassure et, comme le faisait Süleyman, me guide.

Depuis trois mois, sans arrêt, nous avons tremblé à la moindre alerte. Aujourd'hui, je suis prêt. Que la mort arrive, comme elle veut, quand elle veut. J'ignore les menaces. Je n'interroge plus mon visage. Je me moque des plaies suppurantes qui doivent me monter des lèvres jusqu'au front, de mes cheveux qui tomberont en touffes sèches, de ma peau qui se desquamera. Peste de l'an 2033, je me fous de toi ! Comprends-tu ? Je te piétine ! Je me libère, je vis le peu qui me reste. Je veux vivre intensément, sans ramper. Debout ! Aux poubelles, les prophètes de malheur, au diable, les sectes et autres sornettes ! Je me réveille, je me rebelle. Je ne peux admettre que la montée de l'homme, du fond des temps, des mers, des marais, des nuits, jusqu'aux lumières de l'intelligence, que la prodigieuse randonnée de notre

Terre dans le temps et l'espace, aboutissent à un tel cul-de-sac. L'agonie cosmique, c'est trop fou !

N'y a-t-il, depuis les balbutiements de la Création, jusqu'à aujourd'hui, qu'une seule réponse ? Puisqu'il n'y a qu'une seule question : où allons-nous ? Si je connais la réponse, la seule qui soit importante, je sais tout ! Alors la Grande Peur qui nous accompagne se vide comme un ballon, je domine le temps, l'espace. La fièvre me brûle. Savoir, savoir la réponse. Terre de ténèbres, Terre de spasmes, de révolutions en révolutions, Terre petite, petite, roulant si vite dans la nuit sidérale, frissons lumineux, Terre angoissée qui renaît, revit et meurt. Jusqu'à quand ? Avec qui ? Vers qui ? Il me faut reprendre mes sens. Mon esprit s'égare.

À l'instant même où je dictais ces mots, un message apparut sur l'écran.

« PAIX À VOS ESPRITS. JE REVIENS VERS VOUS. »

Matthieu

Laurence sautait en l'air, en me jetant des coussins à la figure. Elle dansait, enjambait les sofas, s'accrochait à un hamac suspendu dans un coin. Je baissai la tête pour éviter un coussin qui poursuivit son trajet jusqu'au bain où il se mit aussitôt à tourner en flottant. Laurence me lança ensuite un verre d'eau, témoignage affectueux qui heurta mon appendice nasal. Laurence se tordait de rire alors que je massais mes narines enflées.

— Ton nez ! On dirait une pastèque sur le point d'éclater !

— Passe-moi ton miroir, Laurence.

— Ah non ! Jamais. Pas le miroir grossissant, tu vas penser qu'un dirigeable vient de te percuter de plein fouet.

— Laurence, c'est pas drôle !

Ma seule défense fut la fuite. Je courus, lâchant ma compresse, essayant d'esquiver les coussins qui surgissaient à tout moment, tirés par la main experte de Laurence.

Je décidai, finalement, de faire front. Laurence, à ma surprise, s'écrasa sur moi. Je sentais la pointe de ses seins gonfler doucement sous sa combinaison thermique. Étendu sur le tapis, je découvris avec ravissement la chaleur de son corps. Le reste de l'après-midi baigna dans la douceur des retrouvailles de nos peaux et de nos esprits libérés. Nous nous endormîmes au rythme d'un concerto pour violon et piano, une vieillerie sublime !

— J'ai du mal à te dire, Souvenir, combien fut grande notre joie, lorsque nous vîmes l'hélicoptère de Matthieu se garer sur la terrasse, à la septième heure d'une soirée de petite neige qui pailletait la nuit.

Je reconnus la silhouette sportive. Matthieu nous fit un grand signe de la main, ôta sa sangle de sécurité, bondit hors de l'hélicoptère, installa les amarres de stationnement et se dirigea à la hâte vers l'ascenseur.

Au loin, des hélicoptères effectuaient leur ronde silencieuse au-dessus du mont Royal. Derrière leurs grandes fenêtres, de nombreux Montréalais observaient, comme nous, le ballet étoilé des citadins en promenade.

Je nous revoyais tels que nous fûmes durant ces dernières semaines, repliés, courbés sur nos peurs. Chaque jour s'était alourdi d'une charge supplémentaire. Voilà ce que Matthieu pouvait lire en nous, mais d'où lui venait sa confiance, son assurance presque insolente ? Il avait le corps rempli de vent, la mèche sauvage et le visage rieur.

Laurence entra dans le module au bras de Matthieu. Mille questions se bousculaient sur nos lèvres, mais nous ne commençâmes que par des banalités, afin de pouvoir savourer le trésor de cette fête. Après ce que nous avions subi, tout souffle nouveau ne pouvait que nous enchanter.

Mattieu respirait la vie. L'élégance naturelle de la silhouette était rehaussée par l'originalité des vêtements. Il portait une blouse de lin beige, ample et fermée à la taille par une ceinture fléchée. Son pantalon de velours noir pénétrait dans ses bottes, lui donnant une allure rebelle. Les cheveux attiraient l'attention. Un peu plus longs que la mode, ils ondulaient presque sur ses épaules en filets blonds.

Il ne manquait que toi, Souvenir, pour que je sois pleinement heureux.

# Chapitre XVIII

## MATTHIEU AU NORD

— JE me suis dirigé vers l'Ouest, sans savoir où j'allais. Après quelques heures de vol, la turbulence de l'air devint soudainement intense. Les vents plaquaient la neige sur les vitres. Je n'ai pris aucun risque, je perdais petit à petit le contrôle. J'ai atterri.

— Tu n'as pas écouté les prévisions météorologiques avant de partir ?

— Vois-tu Guillaume, j'avais débranché mes cadrans du réseau général. Je cherchais la liberté. Pour moi, elle commençait par ce simple geste. Je m'étais isolé du monde. J'ai passé la nuit dans l'hélicoptère, à moitié enseveli sous la neige. Ce fut difficile, j'avoue que j'ai eu peur. Plus d'une fois, j'ai pensé entrer en contact avec vous.

— Tu nous aurais ainsi rassurés, lui reprocha Laurence.

— Durant la nuit les vents se déchaînèrent. Mes portes furent vite bloquées par la neige. Heureusement, il me restait l'ouverture du dessus. Je hissai le périscope d'aération et veillai à ce que le sas supérieur fût constamment ouvert.

— C'est pas si mauvais la civilisation ! Hein Matthieu ?

— Que veux-tu dire Laurence ?

— Tu ne te rends pas compte ! Ton hélicoptère est enfoui et tu ne manques pas d'air, tu ne gèles pas. Un périscope d'aération et une combinaison climatisée, qui te tient au chaud pendant la bourrasque... La liberté, c'était de tout laisser là, de quitter ta combinaison, de foutre en l'air ton récepteur ! Tu dis que tu débranches, mais tu ne débranches pas tout. Ton exploit, il est pas mal contrôlé, tu as de solides bases arrière, que tu renies, mais dont tu te sers quand même ! Liberté sélective ! Tu ne trouves pas non ?

— Je ne comprends pas ton ironie Laurence ! Je ne cherchais pas la mort, mais la vie au contraire ! Évidemment, j'ai utilisé ce que la Nordamie a de pratique.

— Eh bien, en retour ne crache pas dessus !

Laurence se leva. Les poings serrés, elle revivait les heures d'attente, elle lui reprochait d'avoir quitté le module et de n'avoir donné aucune nouvelle.

J'invitai Matthieu à poursuivre. Il fit craquer ses jointures, repoussa sa mèche et, les yeux lointains, continua.

— La tempête ne se calma qu'au petit jour. Une lumière bleutée baignait l'habitacle, cocon vitré sous des cristaux étincelants. J'étais fier de moi. Au plus fort du vent, je n'avais pas allumé mon récepteur.

Laurence faisait la moue.

— J'avais combattu la violence d'une nuit de tempête, protégé par l'appareil, mais seul.

Après avoir arpenté le salon, Laurence, vint nous rejoindre au milieu de la pièce.

— Le soleil resplendissait. Un souffle glacial poussait la neige. D'abord, je ne notai aucun signe de vie. Quelques minutes plus tard, je distinguai une silhouette. Un homme marchait à l'orée du bois, décrivant une longue courbe autour de moi. Il était habillé à la mode ancienne : ni combinaison thermique, ni casque à visière, ni bottes souples. Il portait un pantalon style films de l'an 2000, genre cosaque, une large ceinture entourait le ventre. Sa veste de laine contrastait avec ma combinaison à poches multiples ; des bottes de cuir et rien sur la tête malgré le froid. Les cheveux étaient plus longs que les nôtres. Détail incroyable, son visage n'était pas épilé. Je pouvais deviner la racine de ses poils de barbe à la pigmentation bleu-noir de son menton. Il observait l'hélicoptère d'un air dégoûté. Il réajusta ses raquettes et s'en alla par un sentier qui se faufilait entre les arbres.

« Jamais l'homme ne se retourna, pourtant, je suis certain qu'il me savait sur ses traces. À mesure que nous progressions, la piste allait en se rétrécissant. Nous marchâmes ainsi durant une demi-heure dans une forêt d'épinettes majestueuses. Il avançait avec légèreté, alors que je trébuchais sur mes raquettes. Nous débouchâmes enfin sur une vaste clairière.

« Une maison apparut, vieille demeure bâtie pièce sur pièce, des fenêtres à petits carreaux et une grosse cheminée pointant au milieu du toit à deux pentes ; sur la droite, une grange couverte de planches grises. J'examinais le décor, tandis que l'homme délaçait ses raquettes sur la galerie. Il secoua la neige qui se répandit sur ses mocassins. Du haut de la galerie, il me dominait. Je peinais sur le chemin montant abruptement vers la maison. À mesure que j'approchais, son visage austère devint plus cordial. Sur le perron, il me tendit la main, d'un coup il me hissa sur la galerie.

« Il devait avoir une soixantaine d'années. De nombreuses rides sillonnaient sa peau crevassée par le froid et brûlée par le soleil. Les rides, malgré ce que vous pourriez penser, n'avaient rien de laid, elles ne faisaient que souligner son sourire, accentuer l'éclat de ses yeux ; des yeux bleus, bleus sur la neige comme deux étoiles en plein jour !

« De la galerie, on pouvait reconnaître les étendues rectilignes des anciens champs. Sur la droite, une érablière, d'une belle venue, couvrait les pentes d'une colline. À gauche, la grange fermait l'horizon. De la vapeur sortait par les fenêtres mal isolées. L'homme me tapa aimablement sur l'épaule, m'arrachant à la contemplation de son domaine.

— Je m'appelle François.

— Et moi, Matthieu.

« D'un geste, il m'invita à entrer. La maison n'avait qu'une seule pièce avec, au fond, un foyer en pierre des champs. Le côté cuisine se composait d'un garde-manger blanc et d'un énorme poêle à bois. Vous auriez été surpris par une foule de détails. Les fenêtres par exemple, elles étaient manuelles, aucune n'était télécommandée ! Pour dormir, pas de coussins amovibles ou de futon, mais un lit fixe, qui occupait en permanence un coin de la pièce ; au lieu de sacs thermiques, des draps et une couverture que François nomma courtepointe. Il me conduisit à l'autre bout de la pièce. Dans ce salon les meubles n'étaient pas en contrebas du plancher principal, mais dessus, un salon non pas creux, mais en relief !

« François se balançait dans un fauteuil muni de curieux patins arc-boutés. Il m'invita à faire de même.

— Chaises berçantes ! lança-t-il triomphalement.

« Je commençai par donner quelques petites secousses prudentes, ensuite j'y allai vigoureusement, sous l'oeil amusé de mon hôte.

« Il devait être l'unique occupant des lieux, puisqu'il n'y avait qu'un seul lit. Les murs, recouverts de bois clair, étaient nus, rien, si ce n'est un écran de télévision, deux miroirs et une statuette de bois.

« Il raviva le feu avec du petit bois, une flamme claire envahit aussitôt l'âtre, accompagnée d'une bonne odeur de sapin. La lumière du jour tomba rapidement. Il alluma une lampe à huile. Une grande paix émanait des lieux. Le crépitement des flammes répondait aux oiseaux qui saluaient, une dernière fois, la clarté diffuse du soir.

« Il m'offrit une tisane. Je m'assoupis sur la chaise. La rougeur ondoyante du feu ressuscitait les esprits de la forêt. Combien de temps s'écoula ainsi ? Une heure, peut-être deux, lorsque je me réveillai, le feu dansait sur le visage de François, y dessinant des contours durs, lorsque la flamme était vive, ou estompés sous les lueurs d'or et de pourpre.

— Reposé ?

« François n'attendit pas ma réponse. Il ouvrit le four. Un fumet alléchant remplit aussitôt la pièce.

— Laisser mijoter, voilà le secret, Matthieu ! J'aime que les viandes cuisent lentement.

« J'étais loin de nos cuisines municipales et de nos fours programmés.

— Passons à table !

« Il mit la table, selon des règles précises : une nappe de couleur, des assiettes en porcelaine, couteau à droite, fourchette à gauche, on ne les jette pas, on les lave, on s'en sert à chaque repas ; pas de boîte de jus avec paille, mais un verre à pied, un verre galbé !

« La cocotte émettait, de-ci de-là, quelques bouffées. L'écume sillonnait les flancs de la marmite.

— Voici une vieille recette de chez nous, rien qu'un bouilli sans prétention.

« Il posa la marmite au centre de la table. Un assortiment de couleurs apparut sous nos yeux.

— Deux heures de cuisson à feu lent, des produits sains et le tour est joué. Les légumes viennent du potager, je les mets en conserve selon des méthodes traditionnelles.

« De gros oignons perlant de vapeur, des carottes finement coupées en baguettes rougeâtres baignant dans le jus, des haricots verts croquants, des quartiers de choux veinés, quelques branches de céleri dans leur parfum d'été, des morceaux de boeuf tendre, d'avance, tout cela fondait dans ma bouche.

— De la sarriette, une feuille de laurier, du lard salé, ma cuisine est simple.

« François leva son verre. Il huma le vin, fit tourner le verre en le tenant par le pied ; en passant devant la lampe, une lueur de braise oscilla dans le vin.

« François avait l'air d'un patriarche. Assis au bout de la table, il caressait le verre d'un air satisfait. La nuit, le feu qui chante, la lumière tamisée, la bonne chère, le bon vin... il n'y avait plus rien de catastrophique.

— Lentement... Matthieu. Veuillez m'excuser, j'ai l'air d'un vieux qui radote. Laissez ce vin accomplir sa chimie suave. Respirez...

— Qui êtes-vous François ? Vous m'intriguez !

— Vous êtes chez moi et vous me demandez qui je suis..., répliqua-t-il avec une pointe de malice.

— Reprenez de ce vin, Matthieu ! Voyez, nous commençons à nous apprivoiser... Qui suis-je ?

# Chapitre XIX

## FRANÇOIS, LE ROI DU NORD

C E vin a été produit en Montérégie, il y a — bien longtemps, selon les techniques des vieux pays, quel art, quel plaisir ! Il ne faut pas m'en vouloir, je vais vers le passé, comme d'autres foncent en avant ou se perdent en mer, pour fuir le présent. J'aime les vieux meubles, les fibres du bois sous mes mains, les branches qui fument sous la cendre, l'eau claire des sources. J'ai déniché une ferme abandonnée, je l'ai occupée. Enfin, je suis chez moi ! Je veux déguster chaque jour, comme si c'était le dernier. Vivre heureux, vieux ou pas, mais heureux. La Nordamie m'offrait une route sans joie ni rêve ; le malheur, ou le bonheur, est que je m'en rendis compte. Imaginez, Matthieu, j'étais assistant de robot dans une ferme de l'État. Je contrôlais les opérations de traite sur d'énormes vaches transformées en usines à lait. Les animaux n'ont jamais de lumière naturelle, ils ne peuvent plus marcher. Après quelques années, je serais devenu surveillant de robot dans une usine d'hélicoptères ou de véhicules amphibies. À peu de chose près, mes journées auraient été les mêmes. La Nordamie a tué le travail. Ce que je fais,

ici, me plaît. Lorsque je peine à réparer une clôture,
c'est moi qui l'ai décidé, je le réalise moi-même à mon
rythme. J'apprends la longueur des jours, je vis chaque
heure, même celle qui est pénible. Je ne vois pas de
différence entre travailler et ne pas travailler ! Je suis
âgé, à la retraite, qu'importe ! Je tonds mes moutons,
moins bien que les tondeuses électroniques, qu'importe !
Les moutons de Nordamie sont calibrés et sans saveur.
La Nordamie est un monde fade. Je ne voulais plus
continuer à gémir sur mon sort, à me plaindre, je ne
pouvais pas non plus quitter une société dont je dépends.
Je me suis fabriqué une vie à l'écart. La distance fait
écran. Je n'ai pas quitté mon pays, je m'en suis éloigné.
Parfois j'y replonge, mais comme j'ai peur de m'y perdre
je reviens ici, dans un monde à ma mesure, qui me
ressemble. Dans la vieille armoire, il y a un récepteur.
Mon hélicoptère est stationné dans la grange. Je me
rends fréquemment à Montréal, la Nordamie m'est
essentielle. Où trouver les médicaments, les soins, les
produits dont je ne peux me passer ? Je vis en marge,
pas en parasite. Je n'ai pour horaire, que les animaux,
la nature. Ce sont des contraintes que j'accepte. Je ne
suis pas libre, j'ai volé une miette de liberté. Je n'ai pas
la tristesse du matin. Vous savez Matthieu, cette tension
qui vous tire du sommeil, qui vous dit d'aller refaire la
sempiternelle tâche quotidienne qui ne vous plaît pas.
Partir à reculons, vivre à reculons. Ici, aucune sonnerie
ne m'ordonne de me réveiller. Rares sont les Nordams
qui savourent la paresse de l'aube ! Privilège exquis ! Je
ne suis pas dans un îlot de verre, mauvaise imitation de
paysages tropicaux. Je vis au grand jour ! M'entends-
tu ? Je vis !

« François cura sa pipe, les restants de tabac tom-
bèrent dans le feu en étincelles aromatiques. Il choisit
une autre pipe dans un grand plat en terre cuite.

— Je laisse les pipes refroidir lentement, il ne faut pas brusquer le bois. Je les chauffe doucement, ainsi elles donnent toute leur volupté. Selon mon humeur, je préfère l'une à l'autre, chaque pipe a son caractère, son toucher. Mes pipes, mes vins, mes moutons, ma ferme, j'ai le sens de la propriété. J'ai découvert cela en m'établissant ici. J'ai le goût de posséder, pas le monde, ni le pouvoir, seulement certains objets. Ils vivent! Je divague. Peut-être vivent-ils parce que je m'en sers, les caresse, les déplace, les cajole, jeu bizarre des objets en orbite autour de nous. Ils sont les compagnons muets de ma solitude.

« Depuis que j'habite ici, j'ai appris à connaître notre pays dans sa dualité climatique, deux pays en un. Le pays de l'hiver, du repli sur soi, et celui de l'été, des grandes randonnées entre lacs et rivières. Une Nordamie de soleil froid, de longues nuits, l'autre, feuilles au vent chaud du sud, humidité tropicale, foisonnement des insectes ; deux visages, un des pôles, l'autre de Louisiane, ponctués par un printemps fougueux et un automne flamboyant. J'ai le rythme des saisons, mais jusqu'à quand ? À quelques kilomètres d'ici, nos satellites arrosent une région entière d'un rayon lumineux permettant le travail nocturne. Je suis contre, il faut être prudent avec la géographie.

« Quand j'entre dans la grange, j'apprécie l'odeur laineuse des moutons. La Nordamie déteste les senteurs, elle les masque sous des chimies malsaines. Il est trop tard pour revenir en arrière. Je crois que l'on peut aller en avant d'une autre façon : reprendre son temps, le temps de se parler, de s'écouter, comprendre qui est l'autre, ce qu'il veut dire. Aucun parti politique n'a un tel objectif dans son programme. Il y a les rouges, les bleus, les verts, les alternatifs, les anarchistes et les autres. J'ai décroché de ces machines à élections, de

ces entreprises de racolage. Je suis complètement
utopique, je le sais. Je suis un individualiste forcené.
Je regarde la partie, je ne joue plus, les dés sont pipés.
Ce n'est pas la Terre qu'il faut connaître, mais l'homme !
Entends-moi, Matthieu ! Nous sommes les prochaines
planètes à explorer. La Nordamie a isolé les individus,
les a coupés les uns des autres, est-ce pour mieux les
manipuler ? La peur des autres a renforcé l'isolement,
spirale haineuse sans fin. Tout le monde ment. Personne
n'écoute, n'interroge, n'a confiance. Nous vivons la
solitude, comme aux premiers temps de l'humanité.
Notre situation est peut-être pire que jadis ! »

Soudainement, Laurence intervint :

— Il est bien ton François ! Non, c'est vrai, je
partage tout à fait sa dernière idée. J'ai d'ailleurs un
petit message à te remettre à ce sujet. Guillaume l'a
déjà lu. Je trouverais intéressant que l'on commence
ici-même, dans ce module, à se comprendre et à se
respecter.

Matthieu approuva d'un vague hochement de tête,
gonfla ses pectoraux, respira un bon coup et continua.

« Alors, je lui ai répondu :

— Au milieu des bois, c'est la solitude absolue,
vous êtes gâté !

— Non, je ne suis pas seul. Mes moutons sont
habitués à ma présence. J'ai l'impression d'être ici
depuis toujours. En ce lieu, j'ai atteint le terme de mon
voyage extérieur, il me reste le voyage intérieur. Ce
dernier est le plus long et l'on ne sait où il mène. Quand
je n'en peux plus, je plonge dans la Nordamie, je vais à
l'érothèque ou ailleurs, mais je reviens toujours ici, un
peu meurtri. Je cherche la personne qui cheminera avec
moi au cœur de la forêt et de mes idées, dans mon
voyage intérieur. La solitude est un fléau. Qui peut
vivre sans amour, sans amitié, ne serait-ce que celle

d'un chien ou d'un canari? Les journées de silence, sans confidence, sans amour, sont de petites morts.

« François s'enferma dans ses pensées. Une pipe refroidissait entre ses mains. Le froid dessinait des fleurs de dentelle sur les vitres.

« François remit du bois dans l'âtre, sortit un duvet dans lequel il se glissa. Il me laissa le lit. Je relevai l'édredon jusqu'au cou et me faufilai sous les draps en grelottant.

« Il souffla la lampe. Les flammes vacillaient, animant les murs d'ombres inquiétantes. Le vent sifflait sous la porte. La glace émaillait les carreaux. Je m'endormis en rêvant au milieu des galaxies de givre.

« Lorsque je m'éveillai, le soleil illuminait déjà la pièce. Le feu pétillait dans le foyer. François, torse nu, se lavait avec un gant de toilette fumant. Si le visage portait les marques de l'âge, le corps était encore plein de souplesse, muscles saillants, pas un pli de graisse.

« Au saut du lit, j'allais enfiler ma combinaison thermique, lorsqu'il me tendit des vêtements; ce sont d'ailleurs ceux que je porte actuellement.

—Vous êtes venu pour changer d'idées, eh bien! Commencez par les habits! Pantalons de velours, chandails en grosse laine. J'achète ça au marché parallèle. Les chandails sont faits à la main par des gens qui travaillent illégalement. Ce n'est pas la laine de mes moutons... quoique l'on ne sait jamais. Je troque la laine et la viande contre les produits et objets que vous voyez ici. Bon! À table!

« François s'affairait autour du poêle. Sur la table, une miche à croûte craquelée, du lait de brebis dans une jarre en grès, il y avait aussi du beurre dans un plat en terre cuite et du miel doré.

Le temps s'écoula trop vite. »

Ce fut à mon tour de tancer Matthieu :

— Tu aurais pu, au moins une fois, communiquer avec nous. Je te jure que l'on s'est inquiété. Tu ne te rends pas compte. L'amitié ne se nourrit pas de silence...

Matthieu rentra la tête dans les épaules, fit une moue d'excuse et reprit son récit.

« Le matin nous nous occupions des moutons. François élevait un solide bélier et dix brebis. Quatre brebis mettraient bas vers la fin de l'hiver. François isolait les mères pour les préparer à l'agnelage. J'aimais l'odeur du foin et le chuintement des animaux pompant l'eau ou léchant le sel.

« L'après-midi, nous allions au bois ou à la pêche. Nous enfilions les mocassins, les pantalons de velours côtelé, les anoraks, les mitaines, tout un accoutrement qui me faisait regretter ma combinaison thermique. La tronçonneuse sur un traîneau avec les haches et l'essence, il n'en fallait guère plus pour passer l'après-midi. Nous bavardions auprès du feu de branchages, les braises brillaient au milieu du trou qui s'élargissait dans la neige. Quelques mésanges quémandaient des miettes du casse-croûte, puis s'enfuyaient aux premiers bruits de moteur.

« Les soirées nous retrouvaient fourbus. Je m'assoupissais devant le feu. François racontait sa vie, sa conception du monde, nous commentions les dernières informations. Même au fond des bois, nous ne pouvions, ni ne voulions, nous détacher de la Nordamie en crise.

« Souvent, François dévoilait sa fragilité. Je cherchais un remède à mes peurs, je découvrais un autre moi-même, un autre qui me ressemblait dans ses faiblesses et espoirs.

— La solitude m'est plus pesante que vous ne pensez Matthieu ! Durant la journée, je ne parle qu'à mes moutons. Parfois, j'ai peur de perdre la raison, la voix, alors je m'adresse à l'annonceur à la télévision ou j'appelle n'importe quel numéro juste pour entendre quelqu'un. Quand j'en suis là, je quitte la ferme, la rage au cœur. Malgré toutes mes critiques sur notre société, je fonce vers la ville. J'échange la viande et la laine de mes moutons au marché parallèle, contre du tabac, du vin, du beurre, du pain... J'épuise mon corps à l'érothèque, puis je rentre ici, comme un soldat après une virée. J'essaie de lire, mais rien ne m'intéresse. Je marche dans la forêt, mais je n'aboutis à rien. Je vais à la bergerie et, près des moutons, dans le foin, au milieu de la vapeur et des bêlements, je m'endors.

« Je m'extasiais devant la beauté des étendues recouvertes de neige et ceinturées de forêts intactes, bouleaux blancs, épinettes sombres, hêtres aux troncs lisses. Dans un creux, la hutte d'un castor pointait au milieu d'un enchevêtrement ingénieux de branchages. Les nuages couraient sur le flanc des montagnes, parsemant les versants d'ombres bleutées. Le vent portait dans l'air sec l'écho lointain de vieilles mélopées indiennes. Lorsque le froid était trop vif, nous n'hésitions pas à enfiler nos combinaisons thermiques et à prendre nos casques à visière, ce qui nous permettait, à moins vingt-cinq ou moins trente degrés, de rester des heures sur le lac.

« La journée commençait par une marche en raquettes à travers la forêt. Comment vous dire l'écorce de bouleau qui se déroule au vent, un côté blanc veiné de noir et l'autre presque ocre saumoné ? Comment vous décrire les feuilles de hêtres qui se balancent dans le vide, chaudes reliques de l'automne ?

« Le soleil dessine de longues rainures à travers les érablières, plus loin, des taches de lumière guident vos pas entre les sapins ployant sous la neige. Des traces de cerf, la mousse perçant effrontément sous la blancheur, des lichens sur les rochers, quelques feuilles de viorne, tous ces petits signes de vie me réconfortaient au milieu de l'hiver.

« Après avoir choisi notre lieu de pêche, nous dégagions la neige. À l'aide d'une tarière, nous forions un trou dans la glace. François sondait le fond, ensuite nous installions nos brimbales, qui sont des croix pivotantes plantées dans la glace. L'axe horizontal supporte la ligne et s'incline dès que le poisson mord. Nous en installions quatre ou cinq. À peine sorti, le poisson gelait sur place. Quelques soubresauts de la queue et, tranquillement, le froid le figeait. Nous nous promenions sur le lac, revenant périodiquement vers nos lignes pour briser la glace ou vérifier les appâts. Perchaudes, dorés, brochets, truites, François savait où les guetter.

— Les livres ! Les livres et la pratique, voilà mon école. Il n'y avait personne pour me montrer comment m'occuper des moutons, couper le bois ou même pêcher. J'ai appris et j'apprends encore. Pour les moutons, cela n'a pas été facile. Le bélier m'a coûté une fortune. Tous les béliers sont regroupés aux centres d'insémination ; par chance, quelques-uns disparaissent nuitamment, ce sont les gardiens eux-mêmes qui les vendent ! Je ne savais rien des moutons, des soins à donner, des maladies ou de la tonte. J'ai acheté un livre édité en 2010, l'année du grand retour à la terre résultant de la diffusion bureautique. Ce manuel a été conçu pour des citadins qui voulaient vivre à la campagne. Il y a beaucoup là-dedans, mais l'on ne s'improvise pas cultivateur ! Pour l'apiculture, cela n'a pas été trop dur. J'avais déjà vu faire. Il a fallu que je me fabrique du matériel, enfumoir, extracteur, ruches, rien n'est disponible sur le marché. Je prétends que mon miel est meilleur que celui des usines mellifères. Le mien a le goût des fleurs sauvages. Ça n'existe plus le miel qui sent la verge d'or, le trèfle ou le tilleul.

« Nous marchâmes en silence. Subitement, le visage de François s'assombrit.

— Sale pays. Nous sommes tous fichés, surveillés électroniquement. On en connaît plus sur moi, mes antécédents génétiques, sur ma place dans la société, mon avenir, que moi-même. Je ne m'appartiens plus. Comprends-tu?

« Il criait, tournait sur lui-même. J'ai cru qu'il allait s'évanouir. Il s'avança vers moi en vociférant.

« Je sentais son haleine sur mon visage. Ses yeux d'ours enragé me firent peur.

— T'es rien qu'un type infect qui vient m'espionner, me détruire. J'étais bien tout seul, qu'est-ce que tu fous ici? Qui t'envoie? Hein? Pourquoi? Raconte!

« Il me prit en tenaille à la gorge. Ses gants me cisaillaient. J'avais du mal à respirer. Je martelais sa poitrine de coups de poing violents. J'essayais de me dégager. Le bougre y mettait une ardeur féroce. Perdu au milieu du lac, dans cette immensité éloignée, je ne pouvais attendre aucun secours. Je tentais vainement de crier. Il serrait de plus en plus fort. Mes gants glissaient sur sa combinaison. Je parvins, finalement, à tirer sur la visière de son casque, ce qui lui fit diminuer quelque peu l'étreinte. Je hurlais. Il eut peur, mais aussitôt revint à la charge.

— Vas-tu le dire qui t'es! Salaud!

« D'un coup de genou, je lui fis lâcher prise. Il se plia en deux, les mains sur les parties génitales. Dans mon instinct de défense j'avais frappé très fort. François m'invectivait :

— Salaud! Attends!

« Il gémissait en se tordant. Il s'agenouilla, les yeux fermés de douleur. La vengeance grondait en lui. Je m'approchai.

— Malgré ce que tu penses, personne ne m'a envoyé ici.

— Ferme-là, pourriture !

— Il n'y a pas rien que toi qui te poses des questions François ! Je ne suis pas ici pour t'espionner !

— Pourquoi t'es venu alors ? Hein ! Je t'ai toujours pas appelé, casse-couilles... J'ai mal... Pourrai même plus rien faire avec...

— D'habitude ça revient tranquillement...

— Tu le sais toi ! C'est pas la première fois que tu fais ça, hein ! Avoue !

« Il essaya de se lever, mais n'y parvint pas. J'étais debout devant lui.

— Dégage, ordure ! Dégage je te dis ! Fous le camp !

« Maintenant, la boucle était fermée. Dans la forêt comme dans la ville, je n'avais trouvé aucune réponse à mes questions. Je me suis dirigé vers les brimbales qui oscillaient bêtement au vent. Deux d'entre elles étaient tirées. Des poissons s'agitaient sous la glace, prisonniers des hameçons. Je m'orientais vers le bois sans me retourner, les pensées confuses. Le cou m'irritait. Je posai la main, quelques gouttes de sang perlèrent au bout de mes doigts. Au loin, rabougri, François, le champion du retour à la terre, pleurait.

« J'ai couru. Ne me demandez pas pourquoi. J'ai couru vers l'ombre recroquevillée, l'homme là-bas. La glace craquait sous mes pas dans un bruit qui se répandait à toute la surface. Je fonçais. François titubait, les bras tendus, les yeux aveuglés par le soleil. Nous marchâmes une infinité de secondes. Les cristaux, partout, éclataient. La silhouette de François se balançait dans un halo. Son souffle montait au-dessus de sa

forme floue. Je glissais en évitant maladroitement les
bancs de neige. Des flots légers de blancheur coulaient
devant moi, emportés par le vent. François chancelait
dans un voile irréel.

« Une seconde, un mètre... nous nous sommes jau-
gés et reconnus, tombant dans les bras l'un de l'autre.

« Les yeux embrouillés, nous sommes revenus en
silence vers nos lignes.

« Le calme se fit en nous. La neige, le soleil, le
silence, apaisèrent nos esprits. Nous venions d'atteindre
l'exceptionnelle confluence de nos vies. Lui et moi, au
même endroit, au même moment, avec les mêmes idées,
lui et moi, c'était pareil. »

Lorsque Matthieu en vint à cette partie de son
récit, j'eus l'impression, Souvenir, qu'il avait lu les premières pages de mon carnet de bord. Nous sommes des
milliers à vivre les mêmes émotions que l'on croit toujours uniques, peut-être le sont-elles, mais moins que
nous le pensons. Matthieu et François, toi et moi, plus
que des rencontres, des communions. Matthieu, remar-
quant mon air pensif, m'observa avec interrogation. Je
lui fit signe de continuer. Laurence, épuisée par sa
journée d'hôpital, luttait contre le sommeil.

# Chapitre XX

## UN ABRI

MUTISME sur le sentier du retour. Nous marchâmes sur nos traces balayées par le vent. « Les arbres craquaient. Grandeur et puissance démesurées du froid, rien ne lui résiste, il guette, à côté de vous, il vient vous lécher jusqu'au creux de vos abris. Loup affamé, il rôde, vous harcèle. Vous reculez, il jappe, lance ses crocs. Au moment où le délire vous emporte, la neige, complice servile du froid, vous griffe, claque sur votre peau, se moque de vous. Elle court. C'est une fée de givre avec sa traîne de dentelle filant parmi les arbres. Votre chemin s'efface, les arbres se ressemblent, les sentes se perdent. La tourmente reprend de plus belle. Nos combinaisons thermiques ne fournissent plus de chaleur, les piles sont épuisées, le froid est vainqueur. Le vent se déchaîne. La tempête explose. Nous ne voyons plus rien. François est en avant, à une enjambée, c'est à peine si je le distingue. Je place mes raquettes dans ses marques; aussitôt le vent balaie derrière nous tout signe de passage. Il n'y a plus de piste, rien qu'une énorme vapeur pleine de neige. François se retourne.

— J'y vais au hasard.

« À petits pas, nous avons marché pendant une demi-heure. Les bancs de neige se déplaçaient, ouvrant devant nous des labyrinthes déroutants. Le froid pénétrait en nous à chaque saute du vent. Au bout d'une heure, nous étions en pleine dérive sur une mer blanche. François s'arrêta.

— Laissons la tempête passer.

« Je restais les bras ballants, les pieds pleins d'aiguilles, ne pensant qu'aux morsures du gel.

— Matthieu, on va attendre ici.

« La panique me saisit.

— Je veux m'en sortir, je veux vivre moi !

— Arrête Matthieu, arrête, tu parles trop !

« Le vent nous entourait, la neige ensevelissait nos raquettes. Je commençais à perdre la raison. J'essayais de fixer mon esprit sur quelque chose, une idée, m'y accrocher. Éviter de penser au froid. Résister.

— Bon, tu t'es calmé. Voilà ce que nous allons faire. Tu m'entends Matthieu ?

« François hurlait. Ses lèvres bougeaient, mais c'est à peine si je l'entendais. Le froid, dans le cou, les genoux, le gel entre par les manches, les reins glacés, les mains dures que je ne peux plier, mes doigts, mes pieds hachés à vif.

— Matthieu, secoue-toi ! Matthieu ! Reviens sur terre !

« François me regarda au fond des yeux.

— Si tu veux vivre, bats-toi... On va tenter quelque chose.

— De toute façon, à quoi ça sert de vivre dans ce pays ?

— Je sais Matthieu, je sais ! Repars pas là-dessus. Il y a une minute à peine tu prétendais l'inverse, tu gueulais que tu voulais vivre ! Moi aussi, j'aime vivre !

Tu comprends, VIVRE !!! J'aime ça ! Allez ! Aide-moi ! Il
nous reste une chance et on va la prendre. Grouille-toi.
On construit un abri.

« Déjà mes jambes étaient pierreuses. Les veines
diffusaient un sang lourd. Mon corps s'endormait dou-
loureusement dans la glace. Je passais les gants sur
mon visage, l'épiderme était cartonné, insensible.

— Bouge, Matthieu ! Bouge, bon Dieu !

« François arracha des branches de sapin, qu'il
secoua et entassa au pied d'un bouleau.

— Amène des branches. Ne t'éloigne pas, sinon
t'es perdu. Au travail ! Enlève une raquette, fais
comme moi.

« Je ne parvins pas à dénouer ma lanière, la
languette restait prise dans la boucle. François m'aida.
Je fermai les yeux en le remerciant. Il me tapa sur
l'épaule.

— Remue-toi, il faut que le sang circule !

« La raquette aux mains, François dégagea la base
du bouleau. Nous mîmes plus d'une heure pour nous
ouvrir un petit espace autour de l'arbre. Souvent la
neige retombait sur les bords et détruisait une partie du
travail. J'avais beaucoup de difficulté à tenir ma
raquette. Je me servais de mes paumes, j'étais incapable
de plier les doigts.

— C'est assez. Les branches au fond du trou !
Sur les côtés ! Soutiens les côtés avec les branches ! Vite,
le vent est fort ! La traîne ! Amène-là ! Peux-tu ?

« Je tombais en la tirant. Je ne parvenais pas à la
sortir de la neige. François vint à ma rescousse. Je lui
tendis la corde placée entre mes paumes. Par petits
coups secs, il débloqua la traîne qui réapparut avec les
tarières, les brimbales et le sac contenant les poissons
gelés.

— Matthieu, on est sauvés !

« Je me serrais le long du bouleau. François nous installa, petit à petit, un toit de branchages. En peu de temps la neige recouvrit l'abri. Nous n'avions pas de place. François était assis d'un côté du tronc, moi de l'autre, les jambes repliées.

— On est sauvés, Matthieu !

« Il jubilait. Mes pieds enflaient, mes doigts fourmillaient de mille aiguilles. Le vent soufflait au-dessus de nous en rafales déchaînées, nous gratifiant au passage de quelques saupoudrages de neige.

— Le vent nous a refroidis, ici tu vas te réchauffer. Regarde !

« François creusa un peu sous la neige. La terre noire apparut. Il me montra une fougère à peine gelée. Il délaça mes bottes.

— Bouge les orteils Matthieu, bouge !

« Il m'arracha les bottes. Je ressentis un soulagement, comme lorsque l'on relâche un garrot.

« Il ouvrit sa combinaison. À son invitation, j'allongeai les jambes et glissai mes pieds sur son ventre. Il les pressa ensuite à l'intérieur de sa combinaison, sans les frotter. Il me prêta ses mitaines, elles étaient à peine plus chaudes que les miennes.

— Maintenant, remue les doigts et les orteils. Il faut que ça revienne. Ça dépend de toi, de ta volonté.

« Mes membres étaient de métal. Le sang s'ouvrait, goutte à goutte, le chemin des vaisseaux les plus ténus. Une horde de fourmis plantaient leurs crocs minuscules dans ma chair. Les bestioles cheminaient parmi le lacis des veines glacées. François s'esclaffait.

— C'est assez, monsieur ! Mon ventre a accouché de deux pieds, il mérite chaleur et repos. On ferme.

« J'enfilai mes chaussettes que j'avais mises à réchauffer sur mon abdomen. Je replaçai mes pieds dans mes bottes durçies. Dehors, le vent s'acharnait.

L'abri était complètement englouti sous la neige. La lumière nous arrivait de plus en plus faiblement.

— On est les rois, Matthieu ! On a trois poissons. On peut tenir un bout de temps. La tempête ne durera pas trois jours. On peut donc en manger un tout de suite.

« François ouvrit le sac où se trouvaient les brimbales et les poissons. Le poisson fut difficile à mâcher, du moins au début. Il ne dégelait qu'après un tenace travail des mandibules. Jamais je n'ai mangé aussi lentement.

« Le vent s'en donnait à coeur joie, faisant vibrer notre arbre protecteur.

« Nous passâmes la nuit dans un état de demi-sommeil. Comme les chats qui dorment en surveillant les allées et venues, nous somnolions une minute, cinq, mais aussitôt, le froid nous rappelait la précarité de notre situation. Nous échangions alors quelques phrases pour nous rassurer, nous dire que nous étions vivants. L'un ou l'autre émettait des gémissements, des grognements, ou quelques étranges râles.

« À quoi songeait mon compagnon, à ses moutons, sa ferme, sa maison ? Moi, je pensais à toi Laurence, plongeant en douceur dans la piscine, nue, au milieu des bulles. Je me réveillais en sursaut, grommelais, puis reprenais le cours de mes pensées.

« Nous dûmes attendre l'aube pour qu'enfin le vent faiblisse. Nous tentâmes de soulever le toit. La neige coula autour de nous. Ensevelis jusqu'à la taille, nous eûmes beaucoup de mal à retirer nos raquettes bloquées au pied du bouleau.

« Avant de nous en aller, je n'ai pu m'empêcher de regarder l'arbre avec reconnaissance. L'écorce battait au vent. J'en savais tous les détails, l'ayant fixée durant des heures, contemplant les lignes, les points, les nuances de gris, de blanc, de rose, de brun. J'ai caressé l'arbre et nous sommes partis. François souriait.

« Une bande grise s'étendait au loin, laissant fuser quelques lueurs. Un vent léger jouait sur la topographie mouvementée. François se repéra rapidement. La montagne à gauche, une pente qui menait à un vallon sur la droite, nous étions à deux heures de la maison ; en raison de l'épaisseur de la neige, il faudrait compter temps double.

« François ouvrait la marche. Il fallait lever bien haut les genoux, tasser la couche et avancer pas à pas. Nous laissions derrière nous une piste creuse zigzaguant entre les arbres.

« Vers midi, nous arrivâmes à la ferme. Du côté ouest, la neige formait un mur continu du toit au sol. La porte était bloquée par une congère jusqu'à mi-hauteur. Je la dégageai avec une pelle tandis que François se frayait un chemin vers la grange.

— Tout est en ordre de ce côté-là. Les animaux ont faim, mais nous aussi.

« Nous entrâmes dans la maison en soupirant de joie. Le manque d'air nous surprit. Je dégrafai ma combinaison thermique, j'avais l'impression d'étouffer.

— Des Inuits ! Nous commencions à être des Inuits ! Nos corps se sont habitués au froid.

« Je restais sceptique. François eut tôt fait d'allumer le feu et de couvrir la table de victuailles. Fromages, pain, jambon, tout y passa.

« Le soleil brillait, le vent était sec, juste de quoi réveiller des gloutons assoupis. Je retrouvai avec plaisir la pénombre de la bergerie. Les moutons suivaient nos gestes, tirant sur leurs colliers, secouant leurs clochettes à l'approche du foin. La vapeur montait de leur laine.

— Matthieu, je crois que ma vie est au milieu d'eux.
— Moi, je ne sais plus. Il faut que je rentre. Demain je pars. J'ai beaucoup à penser.

« François me tapa sur l'épaule. Nous regagnâmes la maison, suivis par le regard des animaux.

« C'est avec nostalgie que j'ai quitté François, la ferme, les moutons. La vie là-bas est si différente, que je me demande si je n'ai pas rêvé. »

\* \* \*

Matthieu fit quelques mouvements d'assouplissement et se tourna vers moi, attendant un commentaire. Il s'approcha de la baie. Il secoua la tête, sa mèche resta un instant accrochée, puis, cheveu par cheveu redescendit sur son front. Son regard dépassait l'horizon urbain, il était fixé vers le Nord. Matthieu avait trouvé. Il avait atteint son but.

— Il faut que vous veniez dans le Nord !

Ce furent les derniers mots de Matthieu hier en se couchant. Je ne demandais pas mieux, mais j'étais inquiet. Il n'est pas toujours bon de retourner sur les lieux d'une grande émotion. Je n'ai pas osé le lui rappeler. J'aurais dû lui dire : « Matthieu, méfie-toi, on ne recrée pas deux fois les conditions d'un émerveillement. Chaque instant, être ou agencement des choses, est unique. »

# Chapitre XXI

## LES ESPIONS

Toute la nuit j'ai rêvé à l'aventure de Matthieu, plus d'une fois je me suis réveillé en sursaut, croyant entendre le vent ou la neige s'abattre sur le module.

Laurence nous tira du sommeil.

Matthieu dormait profondément. Laurence susurrait à ses oreilles. J'eus beau me dire que personne n'appartient à personne, j'éprouvais à cet instant une jalousie idiote. Matthieu avait franchi les frontières d'un espace mythique, monde d'épreuves et de vie intense. Qu'étais-je devant lui? Rien que Guillaume, un petit Montréalais empêtré dans la grande déprime. Face au héros je ne pesais pas lourd. Finalement, l'amitié l'emporta sur la jalousie, d'autant plus facilement, que Laurence me réserva une portion de sa sensualité matinale.

Le ciel annonçait une journée d'avril comme les autres. La neige, fondant avec une sadique lenteur, était prête à s'enfler sous les flocons d'une ultime attaque, pour mieux graver l'hiver dans nos mémoires.

Je jetai un coup d'oeil distrait au bulletin de nouvelles défilant sur ma télévision-bracelet. Rien de spécial, toujours les mêmes conseils de prudence, d'hygiène et de sécurité. Dès le matin, les autorités nous orientent sur la « bonne » trajectoire, mais les ennuis commencent lorsque l'on quitte la route indiquée. Si François est en rupture de ban, Matthieu fait partie de la Nordamie officielle. Son absence lui attire les foudres des autorités. On lui a ordonné, hier, de remettre son hélicoptère à l'administration, il devra, désormais, utiliser les transports en commun. Il n'a plus accès aux serres, ni aux gymnases. S'il continue dans sa désobéissance, il perdra ses autres privilèges. Je ne veux pas subir le même sort. J'ai demandé un congé spécial ce matin même. Par bonheur, il m'est accordé.

Laurence est déçue, l'ordinateur a rejeté sa demande de vacances. Notre amie avale un cachet antidéprime en même temps qu'un jus noirâtre et sucré, déjeuner minute, déjeuner mixture, conclu par deux baisers pour ses mâles en repos. Chimiquement souriante, elle disparaît vers la terrasse.

Laurence, maintenant je comprends mieux ce que tu nous disais, dans ton message, sur la femme, l'amitié, la tendresse. Pourquoi je ne te saute pas dans les bras, pourquoi je ne te dis pas : « Laurence, on t'aime » ?

Qu'est-ce qui me retient ? L'Afrique ne m'a-t-elle pas guéri, ne m'a-t-elle pas appris à libérer mes émotions ? Je ne bouge pas et tu t'éloignes. J'ai peur de te perdre. Je te parle comme à Souvenir et tu n'en sais rien, petite femme courage. Des journées entières à réconforter des malades trop nombreux. Révoltée, tu me répétais, sans cesse, qu'il fallait d'abord « injecter de l'humain dans le système », je te démontrais que c'était irréalisable. Tu avais raison, Laurence. Tu avais raison aussi, quand tu m'as forcé à partir en Afrique. Je n'appréciais pas qu'une femme, même toi, me secoue. Pourquoi je mets tout au passé? Tu grimpes dans ton hélicoptère, tu nous lances un grand signe d'au revoir. Si c'était le dernier? ... Je ne voudrais pas vivre après toi.

Matthieu te regarde. Est-ce que lui aussi, soudainement, se rend compte de ce que tu es pour nous? Dans son cœur, il a une grosse place pour toi, peut-être pour moi aussi et il y a, d'un côté, la Nordamie montréalaise, pleine de lumière, de télécommandes et de l'autre, François, une ferme, des moutons.

— Prends les deux, Montréal et le Nord! Vis ici, vis là-bas. Qu'est-ce qui te retient?

— L'administration. Je n'ai plus d'hélicoptère, plus de privilèges!

— Tu t'inscris sur la liste des déprimés chroniques et tu te laisses vivre. Quitte le système. Nous, on t'offre l'hospitalité quand tu reviens, mais toi, fonce! Tu tiens quelque chose de rare. Vas-y!

Matthieu tournait en rond, jetait un coup d'oeil vers la baie, revenait en se frottant nerveusement les mains et relevait sans cesse sa mèche.

— J'ai mal dormi cette nuit. Je pensais à Laurence, à toi, à François, à ses moutons, à la ferme. J'hésite. Les autorités sont puissantes. Je deviens insoumis, il faut être prudent. Qui me dit qu'en ce moment même nous ne sommes pas écoutés!

— Voyons, Matthieu, pas ici! Pas chez nous!

— Je me méfie de tout maintenant. Et si nous étions prisonniers de maniaques! Ce sont eux qui nous jettent ces nouvelles affreuses. Télédictatures! Ils nous asservissent, nous domestiquent, nous avalent!

— Nous guérissent, nous soignent, nous distraient, nous guident, nous nourrissent! Tu oublies cela Matthieu! Je m'arrête là, je n'ai pas l'intention de refaire le procès de la Nordamie.

Subitement, les coussins, les cadres valsèrent, les murs furent minutieusement sondés, la moquette tâtée. Matthieu inspecta tous les coins et recoins avec attention.

— Que cherches-tu?

— Systèmes d'écoute.

Nous passâmes une partie de la matinée à fouiller le module. J'avais beau ranger derrière lui, sans cesse il défaisait le semblant d'ordre que j'avais esquissé. Il s'interrompit enfin, fatigué; moi aussi. Je m'assis au milieu du fouillis, les bras immobiles.

— Excuse-moi Guillaume, mais il fallait que je me rassure.

Je boudais. Matthieu se fit conciliant. Il déployait une tendresse maladroite. Il essayait de se faire pardonner, je tenais ferme sur mes positions, je boudais. Muet, je savourais son désarroi. Jusqu'au moment où il se rendit compte qu'il n'avait rien à se faire pardonner. Moi, je boudais. Nous étions deux gamins perdus dans leurs chicanes de dominant dominé. Le calme se fit en nous, un peu contre notre gré. L'agressivité était sous-jacente à nos propos. Au début, on se cherchait, à la fin on s'esclaffait. Nous discutâmes longtemps, sans avancer beaucoup, de la situation de Matthieu, de ses projets. Nous eûmes le temps de rebâtir le monde plusieurs fois et de le laisser se fondre dans la mousse de nos bières. Le désordre du salon reflétait celui de nos pensées. C'est dans cette atmosphère que Laurence nous retrouva et que nous décidâmes de quitter Montréal le plus tôt possible.

Laurence essaya d'obtenir un congé de l'hôpital. Cette fin d'avril nous tint fort occupés.

# Chapitre XXII

## LE MARCHÉ INTERDIT

### MAI

L E marché parallèle est un des endroits les plus
insolites du Montréal souterrain. L'entrée en
est discrète, elle se situe dans une ruelle du quartier des
affaires. À l'ombre des grandes tours, une porte, étroi-
tement surveillée, conduit à un labyrinthe sordide. On
pourrait croire, vu la saleté des abords, à la présence
d'un entrepôt quelconque abritant des citoyens déclassés
en quête d'un refuge. Ce commerce est illégal, mais les
autorités le tolèrent et viennent même s'y approvisionner !
S'il se fermait, par un curieux processus migratoire, un
autre marché clandestin s'ouvrirait ailleurs.

Le marché occupe quelques-unes des stations du
vieux métro. À l'entrée, dans une guérite de verre, des
contrôleurs vérifient l'identité des passants. Si l'allure
est douteuse, trop officielle, on renvoie la personne à la
surface.

Dans la pénombre, les visages se déforment. Les
creux, les bosses, sont accentués. Il y a, dans ces regards
cavernicoles, de l'angoisse, de l'avidité, de la méfiance,
rien de pur ou de léger. Puanteurs d'égouts, frôlements
de rats, foule grise, grouillant dans la lumière incertaine

des néons, silence des personnages, un théâtre muet déambule sur les rails humides du métro décrépit. Quant aux objets, les trois quarts sont inutiles et laids, bien souvent ce n'est qu'un fatras étalé à même le sol. On trouve de tout. Les responsables des musées viennent y chercher des articles rares pour leurs expositions, les cinéastes des accessoires d'époque ; pourtant rien ne dépasse une quinzaine d'années. Je ne comprends pas l'engouement des gens pour ces affaires démodées, encore nocives, sûrement radioactives. Un amoncellement de casseroles trouées côtoie des couvertures dégageant une odeur de moisi. Un peu plus loin, des lampes me surprennent, formes, couleurs, que de modèles ! Des instruments désuets me fascinent ; que de crayons, de gommes, d'articles de bureau, des sacs entiers de stylographes, en plastique, en métal, à encre, fluorescents, à bille, sans bille... Nous pénétrons plus à fond dans le tunnel, tantôt rectiligne, tantôt décrivant une courbe jusqu'à la prochaine station. Nous respirons maintenant un air humide, étouffant. Ici, le passé remonte à la surface. Des fourmis humaines vont puiser dans les antres de la ville ces vieilleries et les alignent sur les quais poisseux. Dans un réseau complexe de galeries, au milieu de la moiteur, circulent des êtres au pas pressé. Rien ne les arrête, ni l'obscurité, ni la saleté, ni les rats aux yeux gourmands. On s'attarde, soupèse, troque et on emporte la marchandise. La Nordamie oublie qu'elle est éphémère, les Nordams rachètent leur passé en fouinant sur les étals ou en vidant les sacs. Posséder, les inscrit dans la durée. Acheter c'est vivre ! Acheter, beaucoup, beaucoup ! Être propriétaire, jouir, rien que soi, d'une chose, quel plaisir pour des êtres sans attaches, quel plaisir, puisque c'est illicite. Déjouer les lois qui prétendent que la propriété c'est le vol. Eux disent que la propriété c'est la jouissance !

Laurence est tentée par ce qu'elle nomme « toilettes féminines », vêtements intimes complètement anachroniques. Matthieu admire des habits usés. Pantalons, vestes de velours, chandails de laine, écharpes de couleur, il essaie tout. Laurence aime ces vêtements romantiques. Moi, je les trouve inconfortables. Nos combinaisons thermiques sont tellement plus belles avec leurs petits thermostats, leurs ouvertures à pression, leurs protections articulaires, leurs fenêtres transparentes et suggestives. Nos combinaisons mettent en valeur les formes du corps, alors que les habits de Matthieu sont ou trop serrés ou trop larges, mal ajustés et surtout froids ou chauds au moment inopportun.

Matthieu achète des fourchettes de métal. Les mêmes que celles que nous avons jetées lorsque le gouvernement nous a fourni des ustensiles, non radioactifs, en plastique. Il me montre un couteau rouge, avec une croix blanche dessus, très utile prétend-il. Plus nous nous enfonçons dans le métro, plus les objets sont bizarres. Il y a des tables, des chaises, des horloges, des ordinateurs, des pelles, des seaux, des cages à oiseaux, des chapeaux, des plumes, des téléviseurs, des bouteilles vides. Mais que cherche Matthieu ? Il se dirige vers un homme vêtu d'une grande veste. Un vrai magasin, rien que sur le côté droit, je compte une vingtaine de poches. Matthieu lui murmure quelques mots. L'homme répond négativement. Matthieu revient à la charge. Cette fois, un sourire éclaire le visage du vendeur. Une main plonge à l'intérieur de la veste, ouvre une poche et en sort une enveloppe de plastique. Laurence s'approche :

— Cocaïne ? Qu'est-ce que tu fais avec ça ?

— Je t'expliquerai. Pas ici ! Filons !

Nous traversons une allée pleine de boîtes de conserve, de télévisions, de marteaux, de scies et de récepteurs brisés.

La clientèle est aussi hétéroclite que la marchandise, et quels accoutrements ! Devant moi ondule un homme habillé à la mode 2010 : combinaison de fourrure sur le dos et moulage de plastique pectoral couleur rose bonbon ; la moitié du crâne rasée, l'autre avec une natte ; aux pieds, des bottes de ski alpin, jaunes, fluorescentes, lâchant, à chaque pas, de violents effluves. Plus loin, je rencontre un vieillard au style asymétrique rétro-punk, le crâne tondu côté droit, moustache très longue côté gauche seulement, moitié de chemise citron vert côté droit, rouge grenade côté gauche, aux pieds, des chaussettes à paillettes et des sabots en plastique vert.

L'échoppe du visagiste est prise d'assaut. Les vendeurs n'arrivent pas à répondre aux demandes. On s'arrache les miroirs, se bouscule, se donne des coups de coude. On crie les dimensions, largeur, hauteur du visage.

— Oui monsieur. Oui ! Je vous dis que cela vous convient ! Essayez ! C'est bien le modèle que vous avez choisi. Essayez...

Le monsieur, réticent, obéit. La peau de plastique translucide adhère au visage scrofuleux. L'air fuit près des lèvres, des narines, à l'ouverture des yeux. De petites bulles filent entre les deux peaux, avant de s'échapper sur les bords.

— Voilà monsieur ! Comme votre vedette préférée ! Vous lui ressemblez de façon étonnante.

Les yeux du client pétillent.

— Je ne me reconnais plus... fabuleux... quelle transformation !

L'homme arrache sa peau.

— Je préférerais plus jeune, vous voyez, le style éphèbe.

— Non, je ne recommande pas à monsieur. Vous avez un physique disons... mûr. Celui-là vous va très bien.

— Je le garde. Donnez-moi aussi l'éphèbe pour mes orgies. Le vendeur fusille l'homme d'un regard insultant.

— En échange, ce sera deux heures de travail.

— Non, je ne prends rien !

— Va pour une heure et demie, mais vous me créditez tout de suite mon compte.

À l'autre bout du comptoir, une femme a acheté un beau petit minois. Elle l'a obtenu contre une demi-heure de travail. La prothèse lui va très mal, mais la femme se sent bien dans la peau d'une autre, même s'il faut qu'elle mette du talc, même si, avec la sueur, cela fait des grumeaux verdâtres entre les deux peaux. La femme est très contente. Son sourire élargit les plis, creuse de gros sillons sur les joues, mais elle ne voit rien. Elle jubile. Laurence attire son attention sur ces effets inesthétiques :

— Madame, cela accentue vos rides.

La cliente est d'abord surprise, irritée, puis se laisse persuader.

— Vous croyez ?

— Oui, cela fait un peu, comment dire... « Vieille pomme ».

Le vendeur, furieux, suit la scène.

— Du talc madame, du talc !

Laurence fait la moue, peu convaincue. Les yeux alarmés de la cliente vont de Laurence négative au vendeur furibond.

— Finalement je ne le prends pas ! Remboursez-moi.

— Impossible ! Cela vous va d'ailleurs très bien !

Le vendeur s'adresse à Laurence sur un ton violent :

— Dehors vieille chipie, morpion de basses couches, dehors !

La bataille commence ! Les clients s'attroupent, gesticulent. Laurence s'extirpe avec peine du magma humain qui déferle sur l'étal branlant.

Avant de quitter le marché, nous faisons une halte à la boutique du perruquier. Effets de la mycose déformante ou des médicaments, le nombre de calvities et de teignes a considérablement augmenté. Je mets une perruque qui me donne un air vaporeux. Je la repose aussitôt, elle pue la sueur.

— Ma parole, ça a été piqué sur un cadavre, il y a encore des poux dessus !

Des personnes se tournent vers moi, grimacent, demandent à vérifier. Je montre. On examine. Le vendeur sort de sa boutique, m'arrache la perruque des mains.

— Pauvre con ! éructe-t-il.

Des acheteurs lancent des perruques et engueulent le vendeur. Je m'éclipse discrètement. Matthieu et Laurence m'attendent à l'entrée de la station. Je m'arrête. En arrière de nous, monte une rumeur répercutée par les murs de ce grand tube conducteur. Partie de la boutique du perruquier, la pagaille a atteint d'autres tréteaux, la foule maintenant reflue en cohue vers la sortie. Nous rejoignons l'hélicoptère au pas de charge.

Nous allons bientôt quitter Montréal. J'ai un peu peur. Je suis très oiseau nid, pas oiseau migrateur. Malgré mes plaintes, le module est mon refuge, mon chez-moi.

Jamais Laurence n'a été aussi radieuse. Ses yeux brillent, son corps a retrouvé une souplesse féline. Elle sent la mer, la vague, le grand large. Aujourd'hui, elle a une séduction sauvage qui va avec le rythme de ses idées, le Nord est déjà en elle, comme il est en Matthieu.

Moi, Souvenir, je suis encore en arrière, toujours un peu perdu dans mes pensées ; ils foncent, moi je me pose des questions.

Nous décollerons tôt demain. Matthieu veut arriver avant la tombée du jour.

Ce soir, il règne une grande fébrilité dans le module. Chacun tente de cacher sa nervosité. Laurence prépare un sac de vêtements et d'appareils. Matthieu vide le congélateur et place la nourriture dans un caisson étanche. Nous traînons devant les écrans, le sommeil tarde à venir. Laurence se tait. Matthieu est songeur.

Première pluie, elle frappe les vitres. Le temps est doux. Des rigoles se forment sur la terrasse entre les patins de l'appareil.

Cours de médecine populaire sur notre écran relief, une caméra se promène dans l'oesophage, l'estomac, remonte, revient, quelle indigestion ! Séquence suivante : un homme donne en souriant un rein, un autre un oeil, un autre un bras. Quelques minutes de chirurgie ! J'ai un haut-le-coeur. Sur l'écran défile un appel à la charité. Mes organes ? Maintenant ? Plus tard ? Qu'est-ce que je vais léguer, un oeil, un bras, un rein, ensuite le coeur, les poumons ? Je n'aurai plus grand chose à déposer au crématorium municipal.

— T'as rien d'autre à nous montrer ?

Scènes de violence, scènes érotiques, Laurence fait une courte pause, observe, moue de dégoût, succession d'images incohérentes, chaîne musicale. Laurence s'arrête.

— Écoutez les gars !

Mon esprit est encore accroché aux opérations chirurgicales. Des moines chantent.

Mes yeux ? Comment ils me les enlèveront ? Et le coeur ? Il va falloir ouvrir vite avant qu'il ne soit noyé, est-ce que je serai vraiment mort ?

Les voix se fondent, la mer vient, repart, des ondes longues, d'autres plus courtes, beaucoup de douceur. Vieux murs, pierres à nu, habits bruns, ceintures de corde, le décor est simple. Le chant n'en finit pas de monter. Matthieu s'est joint à nous. Les moines psalmodient dans une vieille langue que je ne comprends pas, mélodieuse, à peine une vibration. Une vague vient à la surface, s'arrondit, alors que l'autre la suit, pure, entraînante.

— Chant grégorien, diffusé en direct d'une abbaye française, explique Laurence.

Les caméras s'attardent sur les voûtes. Le souffle est suspendu dans l'air. Palpitations d'éternité... Nous sommes dans la grande salle. Le chant éclate de joie dans la lumière.

L'émission s'achève sur des vues de l'abbaye, des prairies verdoyantes, de mystérieuses forêts.

Dix chaînes en même temps sur l'écran, Laurence en sélectionne dix autres. Distraitement, elle pianote sur la télécommande. Quand soudain...

— Là, là, Guillaume ! Tu es là !

Laurence fait le gros plan sur le deuxième carré qui occupe maintenant tout l'écran. Mon visage apparaît nettement, c'est moi, vraiment moi. Je suis abasourdi. Matthieu déclenche le disque enregistreur, joue avec les boutons. L'écran s'efface complètement. Laurence crie. Me voici de nouveau, Laurence me serre la main. Je suis rivé au fauteuil.

Laurence murmure quelque chose comme :

— T'es un clown cloné, clown cloné !

Des phrases s'entrechoquent, qui les prononce ? « Jumeaux décalés, gémellité retardée, cellules refroidies... ». Qui me parle ? Je ne reconnais pas ma voix dans le poste. Où suis-je ? Qui me manipule, joue avec mon identité ? Des lettres défilent au bas de l'écran :

ÉMISSION DIFFUSÉE LE 27 MAI 2022, NOM DU
PRÉSENTATEUR : JOHN PAUL SCOTT

Laurence me regarde comme si c'était la première
fois de sa vie qu'elle me voyait. Elle s'avance tout près
de moi, je sens le parfum, à la framboise, de sa gomme
à mâcher. Laurence me touche le visage. Ensuite, je
ne sais plus ce qui se produit.

Panique dans le salon. Je m'éveille, l'image saute
sur l'écran. Laurence me passe une serviette humide
sur le front. Sa gomme tourne nerveusement au milieu
de ses dents émaillées. Matthieu prend mon pouls,
dégrafe ma combinaison. Laurence me parle doucement.
J'ai froid, je frissonne. Toi, Souvenir tu t'agites dans
ma tête, me souris et tu t'évapores. Laurence, elle aussi,
sourit comme toi. Nous nous comprenons. Je l'em-
brasse, elle sent bon la framboise.

Matthieu s'approche avec un assortiment de pas-
tilles, une pour le cœur, une pour les nerfs, une pour...

— Arrête Matthieu, je n'en ai pas besoin... mais...
qu'avez-vous tous les deux...?

Je m'endors, je suis bien. Souvenir, tu joues dans
ma tête. Je te vois sortir et te glisser dans le sommeil
de Laurence, elle se tourne et se retourne. Matthieu
aussi a droit à ta visite nocturne, il grogne, tu le déranges,
Souvenir. Il pleut très fort et moi je dors à l'abri de ta
présence.

# Chapitre XXIII

## UNE HISTOIRE DE CHAISES BERÇANTES

L AURENCE est nerveuse. Matthieu pilote calme-
ment. Je suis fiévreux. J'ai somnolé durant
une partie du voyage. Entre les lacs et les forêts, on
devine quelques vieilles routes et les cordons déboisés
des anciennes lignes électriques. À mesure que nous
volons vers le Nord, la neige réapparaît. Les rivières
sont encore gelées.

Tantôt j'ai chaud, tantôt je grelotte. Laurence me
donne des cachets. Je fais semblant de les prendre. Je
veux être lucide à notre arrivée, dans une demi-heure
d'après les calculs de Matthieu. Laurence scrute la forêt.

— Le lac !

Matthieu pointe son index vers une étendue blanche
festonnée d'arbres. Nous atterrissons dans une clairière.
La neige vole en brouillard sous les pales.

Laurence saisit son sac à dos et saute. Matthieu
lui tend des raquettes. Il est sûr de lui, ses yeux brillent
derrière son casque de pilote. Il me fait un clin d'oeil
complice. Il est heureux. Dommage que je ne sois pas
en forme. Les premières branches des conifères ploient
encore sous la charge blanche. Depuis une heure nous

marchons dans une couche épaisse, chacun ouvre le
chemin à tour de rôle. Il faut enjamber les arbres morts,
se faufiler entre les branches. Enfin, la forêt s'aère et
les arbres sont plus beaux.

Nous débouchons sur une prairie éblouissante de
soleil et de neige. Nous nous arrêtons, étonnés. La
ferme, la grange, les bâtiments annexes, tout est là !
Une grande maison ceinturée d'une galerie, des fenêtres,
petites, basses, à carreaux, une grange en bois gris, usé
par le vent, le soleil et la pluie, Matthieu n'a pas menti.

Aucune trace dans la neige, aucun signe de vie, la
grange, dont parlait Matthieu, pas de vapeur, pas de
bêlements. La neige est intacte, non foulée, même sur
la galerie. Un bruit régulier vient de la grange, une tôle
bat au vent, le reste est silence.

Nous montons, les trois de front, pour embrasser
le paysage, ne rien laisser échapper du mystère des lieux.
Trois Nordams s'avancent dans la neige, formes minuscules dans l'immensité de la forêt, trois Nordams à
l'assaut d'une ferme mythique, d'une ouverture sur
l'espoir. Les bâtiments sont vides. Le vent joue dans
les pièces en se moquant de nous. Je tourne sur moi-
même, pris dans le tourbillon du vent. J'écarte les bras
pour atteindre ces mirages. Je me reprends. Laurence
court, seule dans le silence. J'admire sa frêle silhouette
sur la neige. Elle atteint la maison, défait ses raquettes.
Je tourne, tourne. Matthieu a enlevé sa visière, il plisse
les yeux, dégage sa mèche. Laurence s'attarde sur la
galerie, fait le tour, revient, ouvre la porte. Matthieu
sourit. Je m'effondre dans la neige.

Un soleil métallique vole entre les nuages. La neige
explose en myriades d'étoiles blanches. Je suis ivre de
lumière. Je suis étendu. Il y a des poutres au plafond,
massives, équarries à la hache. J'observe la pièce.
Matthieu l'avait bien décrite, mais elle est plus vaste

que je ne pensais. Le foyer est de grande taille, Matthieu et Laurence sont assis de chaque côté et se balancent sur des chaises, buvant un liquide fumant, les yeux fixant les flammes. Les bûches crépitent, une senteur de sapin parfume la pièce. Il neige, dernières bourrasques, neige indécise, neige de cinéma. Par le châssis, j'aperçois le ciel gris bleuté, peinture mouvante derrière huit petits carreaux.

— Que tu es bavard quand tu dors! murmure Laurence.

Bruit dans l'âtre, elle replace les bûches sur les chenets. Je n'ai pas faim. Ils soupent. Je bois une tisane et repars dans mes soleils sur la banquise.

Deuxième jour dans le Nord. J'explore notre nouveau domicile. La joie de ma compagne me surprend. Je suis désorienté. Je ne vois pas François et je n'entends toujours pas les moutons. Je suis dans un guet-apens. Ils m'ont endormi, drogué. Moi qui ai pris cela pour la grippe. Matthieu vient vers moi, solide comme toujours.

— Où est François?

— Dans ma tête Guillaume! Les yeux de Matthieu sont malicieux.

— Les moutons?

— Dans ma tête itou!

Laurence s'esclaffe. Je suis en colère.

— Pourquoi tout cela? Toi, Laurence, t'es dans le coup! Je me suis fait berner. Pourquoi sommes-nous ici s'il n'y a ni mouton, ni François, ni rien? Vous m'avez drogué. Vous êtes fous!

— Tais-toi Guillaume! Assieds-toi, je vais t'expliquer, dit Matthieu avec fermeté.

J'étais trop tendu pour l'écouter. Laurence réussit à m'apaiser.

— On ne t'a pas drogué, Guillaume, on ne t'a rien fait. Quelques pilules pour te calmer, on ne pensait pas

que ça allait te mettre dans cet état ! Hier, lorsque j'ai
vu la maison vide, la grange déserte, j'ai compris.
Matthieu avait inventé l'histoire à partir de ce paysage.
La seule chose vraie, c'est le lieu, la ferme, la grange,
le reste sort de son imagination. En faisant cela il
chassait nos angoisses, nous ouvrait une porte, un
espoir dans la prison où nous étions enfoncés. L'espoir,
au moins une lueur, pour vivre, ce n'est pas de trop !
Hier, j'étais à la fois furieuse et émerveillée par sa
manière de nous exprimer son amour en nous associant
à ses folies. À mesure que je montais vers la ferme, j'ai
voulu que François existe, que les moutons m'accueillent
dans la grange, que l'âtre chante, que les chaises de
nouveau se balancent. Matthieu fut autant surpris que
moi. Plus que lui, j'ai adopté sa fiction. Je vais l'ampli-
fier, la faire résonner du lac à la forêt !

Matthieu se tenait en retrait ; il avait troqué la
combinaison thermique pour une chemise à carreaux et
des pantalons de velours. Il ne disait rien, écoutant
étonné sa Maria Chapdelaine de l'an 2033. Je le voyais
à contre-jour, seuls les yeux brillaient. Il se leva, prit
une pipe, la bourra doucement, sortit une brindille
enflammée et commença à tirer par petites bouffées.
L'histoire du pays était dans ses gestes simples, une
histoire de bois, de coin du feu, de flammes, de grand
vent du nord, de souffrance, de froid, de chaises berçantes qui en avaient long à raconter.

Laurence guettait ma réaction. J'observais Matthieu.
Il avait toujours fait partie du décor. De père en fils, la
maison aurait pu être sienne. Les murs, ce soir, con-
viaient les générations, elles arrivaient pour saluer son
retour. Il ne pouvait en être autrement.

— J'ai choisi de m'installer ici, affirma Laurence
avec conviction.

— Laurence, tu déraisonnes ! Les piscines, les saunas, les magasins, ici c'est le bois... Faire de l'élevage quand on n'y connaît rien, troquer la laine, la viande, le lait des brebis contre les produits de la Nordamie industrielle, quelle folie ! C'est la solitude ici, l'ennui, le bout du monde !

Mes propos n'altérèrent point l'enthousiasme de mes compagnons. Matthieu avait en tête un plan de restauration. Pendant plusieurs jours, nous travaillâmes dans la grange. Nous étions habillés comme dans l'ancien temps, pantalons rudes, non molletonnés, chandails de grosse laine, achetés dans le métro de Montréal. Matthieu eut tôt fait de retaper l'étable.

Il me faisait part de ses projets sur un ton euphorique :

— J'apprendrai l'élevage des moutons dans de vieux livres sur microfilms.

— Et les moutons ?

— Il y a le marché parallèle. On y vend de la viande, il y a donc des agneaux quelque part. Pour le restant, j'ai acheté les graines. Tu sais, le sachet de plastique, le gars au manteau dans le métro. J'ai déjà des carottes, de la salade, des tomates. À mon tour, après la première récolte, je vais pouvoir vendre des légumes, échanger.

— Pourquoi avoir inventé cette histoire ?

— Pour vivre, Guillaume... la joie d'habiter un paysage, y trouver mon harmonie.

Laurence rapportait du bois sur la traîne qui calait dans la neige fondante. Matthieu vint à sa rencontre, la terre était boueuse. Le dégel, dans le Nord, rend tout amphibie, spongieux. On coupait du bois, pompait l'eau, réparait la maison.

Un matin, nous partîmes, la maison fermée, hélicoptère, survol du lac, des rivières. Le vent du Sud nous rejoignit bientôt.

Fin mai, Montréal est sous le soleil. Les rayons sont doux, le ciel est pur, l'air tonifiant. Laurence paresse, allongée sur la terrasse. Dans quelques heures elle repart avec Matthieu, elle est souriante.

— J'ai une confidence à vous faire, mes gars.

— Vas-y, petite bigame, lui dis-je.

— Dans huit mois, huit mois !

Nous sommes abasourdis.

— De qui ? demande Matthieu.

— De toi... ou de lui !

— Illicite, illicite ! répète Matthieu.

— Tu ne veux pas l'appeler comme cela ? s'inquiète Laurence.

— Complètement illégal ! Superbe ! Un enfant non programmé ! exulte Matthieu.

Je danse, je suis heureux.

Dernier jour de mai.

Les pales de l'hélicoptère tournent lentement. Matthieu est aux commandes, il relève sa visière et, le pouce en l'air, me sourit. Laurence me salue joyeusement. Ils s'envolent sur fond de gratte-ciel illuminés. Au loin, sur un écran géant, défilent des informations sans intérêt. Sur la montagne, une croix s'allume. Dans le module monte un chant mélodieux, j'augmente le son de la télévision. Musique de France, vieux chant grégorien. Je suis là, à repenser à cet étrange hiver, lorsqu'un bruit bizarre m'attire vers la cuisine. Dans un coin, deux yeux me fixent, ronds, craintifs. Un bêlement d'accueil, une peau qui frissonne à la première caresse, un jeune agneau m'interroge. Un message enregistré sur le comptoir. J'appuie.

« Gros becs de nous deux, viens avec l'agneau, lors de ta prochaine visite, c'est le premier du troupeau, on ne pouvait pas te laisser seul. Süleyman arrive dans quinze jours. Nous vous attendons tous les trois. »

Au milieu des chants grégoriens, bêle un agneau, un petit François naît sur les bords d'un lac aux eaux claires et toi, Souvenir, mon compagnon, tu souris avec nous devant les beautés du printemps nordique.

# TABLE DES MATIÈRES

Graphisme, composition
(en Times, corps douze)
et mise en page :
**Atelier graphique du Vermillon**
**Ottawa (Ontario)**
Maquette de couverture :
**Atelier graphique du Vermillon,**
Impression et reliure :
**Imprimerie Beauregard**
**Ottawa (Ontario)**
Achevé d'imprimer
en mars mil neuf cent quatre-vingt-huit
sur les presses de l'imprimerie Beauregard
pour les Éditions du Vermillon


ISBN  0-919925-30-8

Imprimé au Canada
Printed in Canada